Rivieren keren nooit terug

Boeken van Joke J. Hermsen bij De Arbeiderspers

Joke J. Hermsen

Rivieren keren nooit terug

Roman

Uitgeverij De Arbeiderspers
Amsterdam · Antwerpen

Met dank aan het Nederlands Letterenfonds voor
het verstrekken van een werkbeurs.

Omslagontwerp: Bloemendaal & Dekkers
Omslagillustratie: *Eve*, Gislebertus, Musée Rolin,
Bridgeman Images

ISBN 978 90 295 0543 7 / NUR 301

www.jokehermsen.nl
www.arbeiderspers.nl

'De kinderen en de wijzen weten dat niet de brug bestaat,
alleen het water dat zich laat oversteken.'
   – René Char

Hommage à Hercules Seghers

Staande op een rots,
die het begin is
van een berg,

en die zich niettemin
voor mijn ogen
in zee stort,

heb ik soms
zo kunnen verlangen
naar de binnenzee in mij,
dat ik mij haast een zich
verstotende was geworden.
   – Hans Faverey

I

Het afscheid

I

Hoewel we pas net aan de klim zijn begonnen, heeft de duisternis ons al ingehaald. Het maanlicht blijft achter de bladeren haken en dus zoeken we op de tast onze weg naar boven. We trekken ons omhoog aan de wortels die dwars over het pad lopen, glijden uit over de gladde, door de rivier geslepen stenen. Vijf kinderen, op de grens van jeugd en volwassenheid, in korte broeken en verschoten T-shirts, roodbruine korsten van de zon op hun schouders.

In het bos hangt de scherpe geur van het speeksel waarmee egels zich insmeren, iets tussen peterselie en geitenkeutels in. Niemand weet waarom ze dat doen. Is het een verdedigingstactiek? Parfum voor de paringstijd? We horen de egels ritselen in de droge blarenhopen onder de struiken. Het zijn toch wel egels?

'Misschien een everzwijn,' fluistert Marc.

We hebben geen zaklantaarn en kunnen amper een hand voor ogen zien, laat staan egels van everzwijnen onderscheiden. We zijn zomaar vertrokken, kochten wat blikjes bier en cola bij Le Saloon en gingen op pad. Een van ons stelde het die avond voor, op de quasinonchalante toon die we de hele zomer al oefenen: 'Zullen we gewoon helemaal naar boven klimmen?'

Al onze zinnen beginnen met 'zullen we gewoon?', want tegen de avond overvalt ons een zucht naar spanning, een bijna fysiek hunkeren naar avontuur, alsof ons lichaam niet alleen drank en voedsel, maar ook uitdaging, risico en gevaar behoeft. We worden opgehitst door een verlangen naar meer, naar iets vreemds dat ons misschien terug kan geven wat ons de afgelopen jaren door de vingers glipte: de zin in het spel en het gemak waarmee het gespeeld wordt; de stok die vanzelf een zwaard, wichelroede of hengel wordt, een donker bospad het woongebied van onzichtbare wezens.

Van de ene op de andere dag hielden we op met indiaantje of verstoppertje spelen en werden we uit de toverkring van onze kinderlijke verbeelding gestoten. Voortaan moesten we elders onderdak zien te vinden. In de choreografie van het schoolplein bijvoorbeeld, waar we steeds nieuwe poses en omtrekkende bewegingen uitproberen, maar vooral in de muziek die onze nederlagen van klanken voorziet en ons af en toe een paar woorden cadeau doet – *so lonely* – waarin we ons menen te herkennen.

Het valt niet mee om de almaar groeiende afstand tot de wereld te overbruggen. We denken er ook niet veel over na, maar wel zijn we ervan overtuigd dat dit verlies alleen gecompenseerd kan worden als we een grens of een verbod overschrijden. Dat is een zekerheid die we allemaal delen. En die we later ook weer kwijt zullen raken, maar nu nog niet. Nu staan we te trappelen op de rand van het nest en schudden we de wetten, bevelen en reprimandes van ons af. We zijn klaar voor de sprong en besluiten zonder voorbehoud. Dit is niet de leeftijd om te twijfelen.

Het is hoogzomer en de nacht is zwart en warm als het gesmolten asfalt waar onze slippers aan blijven plakken. Het donker deert ons niet. We voelen geen angst of gevaar, maar geven slechts gehoor aan de uitdaging van de nacht. Tussen de boomtoppen klinkt de alarmroep van de bosuil, gevolgd door het geratel van de nachtzwaluw, die zijn rol-

lende Franse 'r' nog eens oefent. De cicaden zagen luidruchtig de bomen in tweeën. Soms zwijgen ze plotseling.
Dan houdt het bos, net als wij, even de adem in.

We klimmen hoger en hoger de steile berghelling op,
glijden uit op onze afgetrapte slippers. We grijpen ons vast
aan elkaar, aan een voet of een voorbijschietende elleboog,
en zweten van inspanning. Af en toe strijkt er een vleugje
koelte van de rivier langs onze blote benen. De geur van
het water is heel vertrouwd: mossig en fris. Onze zintuigen staan op scherp, we lachen om elke boodschap die ze
doorseinen: krakende takken, het ritselend wegglippen
van een slang, het ploffen van stenen in het zwarte, olieachtige water beneden.

Het laatste stuk klauteren we, onze handen maaiend
door de droge aarde. Hoe hoger we komen en hoe verder
we de bomen achter ons laten, hoe scherper het smalle
pad tussen de doornige struiken voor ons oplicht. We zijn
er bijna. De zandkleurige bogen van de brug tekenen zich
af in het maanlicht. We klimmen nog enkele meters verder en staan dan voor de bovenste verdieping van de hoogste brug die de Romeinen ooit bouwden.

Al drie zomers zwemmen we eronderdoor, voelen we hoe
het water daar ineens veel koeler wordt. We trappelen in
de draaikolken onder de brug en kijken omhoog naar de
immense bogen die het gewicht van duizenden stenen
dragen. We zijn minuscule vlekjes die liggen te spartelen
in de stroom van de tijd.

Soms doet de brug pijn aan onze ogen, als de zon hem op
het hoogste punt van de dag van alle kanten belicht. Toen
we hem voor het eerst zagen, konden we amper geloven
dat hij echt was, zo perfect lagen de bogen op elkaar gesta-
peld, zo hoog torende hij boven ons uit, als een flatgebouw
van twintig etages. Maar de brug is echt, onwaarschijnlijk

echt, en zo indrukwekkend dat hij niet zonder de hulp van een paar Romeinse goden kan zijn ontstaan.

We staan nu vlak voor de hoogste en smalste bogengalerij, die zich rechts van ons nog dieper in de bergflank boort. Pas nu zien we de beschadigingen. Sommige stenen van de bogen zijn eruit gevallen, een deel van de overkapping van het aquaduct ontbreekt, hier en daar heeft de tijd een flinke hap uit de muren genomen. Rondom de brug ruist het verleden, maar ook zijn keerzijde: gestaag toenemend verval, de prijs van de vergetelheid.

We aarzelen voor het eerst. De brug is te groots, te overweldigend; het is een reus die ligt te slapen in het nachtstille landschap. Maar Marc aarzelt niet. Hij gaat voorop, want hij kent de weg, hij is hier geboren. Ik kruip als eerste achter hem aan door een gat in de muur, schaaf mijn elleboog, maar houd mijn blik strak op Marc gericht. De anderen volgen en zo lopen we achter elkaar door de smalle watertunnel.

Het is koel en vochtig tussen de muren van het aquaduct, ook al stroomt er al eeuwen geen water meer door. Af en toe gaan we op onze tenen staan en gluren over het muurtje naar de heuvelrug die schuin afloopt naar de rivier. We zoeken steun bij de richels tussen de stenen en klimmen een voor een langs het muurtje omhoog op het platte, amper anderhalve meter brede dak. Daar gaan we zitten, met z'n vijven op een rij, het tasje met de blikjes bier tussen ons in, terwijl de maan bezorgd toekijkt.

De hoogte jaagt ons geen angst aan. We tellen geen meters, geen afstanden, geen minuten. De bergen, de rivier, alles ligt stil en onbeweeglijk voor ons. We kijken omhoog naar de allesomvattende koepel, die donkere met warme lucht gevulde bel die sterren over ons uitstrooit. Onze voeten bungelen achteloos boven de diepte.

Een van ons verliest bijna zijn slipper, maar weet hem nog net op tijd binnen te halen. De door de zon gestoofde dekstenen gloeien onder onze benen. Beneden stroomt de rivier tussen de rotsen, maar we horen hem niet, we zitten te hoog om de geluiden van het dal te kunnen opvangen. We schieten plukjes verdroogd mos naar beneden en drinken van het lauwe bier. Marc steekt een Gitane op. De zwarte tabaksrook kringelt om onze hoofden.

Iemand wijst naar de hoge rots waar we overdag vanaf duiken, de een strak gestrekt, de ander met rommelige benen. We kennen elke plek in het water en weten de rotspunten te vermijden. We kennen ook de Franse waaghalzen, die niet vanaf de rots maar vanaf de brug duiken, voor een weddenschap of soms voor erger. We zagen de zwaartekracht zijn werk doen, hoorden het ruisen van de snelheid waarmee het lichaam naar beneden viel. We zagen van dichtbij de kleuren die de klap op het lichaam had achtergelaten, een landkaart van blauwe en paarse vlekken. We voelden de spanning en hoorden de angstkreten in de kelen van de toeschouwers vonken. We zagen de gendarmes het levenloze lichaam uit het water vissen en liepen weg.

We keerden ons van het noodlot af met een enkele draai van onze schouders.

Aan het begin van de zomer is het water nog vreemd en fris en zijn de oevers groen en onbezoedeld. Zes weken later heeft de rivier geen geheimen meer voor ons. We leven elke zomer in het water, dat onze verbrande schouders verkoelt en onze lome lichamen lichter maakt. We zwemmen van oever naar oever, dobberen eindeloos ver op onze luchtbedden langs de jungle van onze dagdromen en zien hoe de ijsvogel vlak voor ons over het water scheert.

13

We zwemmen naast ringslangen, hun kleine kopjes nerveus spiedend over het water. We lezen de kalkwitte lijnen die de zakkende rivier op de rots achterlaat, het is onze kalender. Als de lijnen een hand breed zijn, moeten we weer gaan, altijd met spijt, altijd met een brandend gevoel van gemis op de plakkende achterbank van de Ford Taunus, stil weggedoken achter onze nog klamme zwemhanddoeken die we tussen de ramen hebben geklemd om het afscheid van de Midi, van de zon, van de zomer niet te hoeven meemaken.

Het is een oefening voor later. Heel ons leven blijven we afscheid nemen, eerst van onze jeugd en het spel van de verbeelding, dan van onze dromen, ons geloof en ons vertrouwen, ja zelfs van onze overmoed en diepste overtuigingen. We verliezen vrienden, geliefden, ouders en kinderen, het is allemaal even onvermijdelijk. Maar het begint met het afscheid nemen van onszelf in een wereld die ons vanzelfsprekend omarmt. We werken hard om onze weemoed te bezweren, soms schreeuwen we en soms doen we er het zwijgen toe, maar allemaal strekken we op een gegeven moment onze armen uit naar dit zelf dat ooit zo moeiteloos naar de overkant zwom. Toen de wereld nog rond en niet vierkant was en we er gewoon in doken in plaats van ons iedere keer opnieuw aan de scherpe zijden ervan te stoten.

2

Parijs, de eerste dagen van maart. De bomen langs de avenue Parmentier staken hun kale, zwart glimmende takken omhoog door de laaghangende wolken, de voetgangers hielden hun hoofd juist naar beneden gericht, om de vele plassen op straat te vermijden. Ella lette niet op de mensen noch op de bomen of het rode voetgangerslicht. Ze stak in gedachten verzonken tussen de dubbele rijen voortkruipende auto's de weg over.

Een scooter moest vol op de rem gaan staan, zwenkte naar rechts en wist haar nog net te ontwijken. Ze keek even verbaasd op naar zijn capriolen. De auto's stopten luid claxonnerend om haar door te laten. Als er geen vaart gemaakt kon worden, dan maar lawaai.

Boos, maar ook een beetje nieuwsgierig, bogen sommige bestuurders zich naar voren, naar die lange, slanke vrouw met die bos rode krullen boven de kraag van haar zwarte regenjas. Ze zagen hoe ze over de regenplassen sprong en ongeschonden de overkant bereikte.

Ella stapte de kiosk van Fouad binnen. Zijn uitgesproken meningen over de politiek, de globalisering of de kleur van haar haren – 'u draagt vuur op uw hoofd, madame' – rolden als harde knikkers over de toonbank, maar hij liet ze altijd vergezeld gaan van een grap of een brede grijns. Die ochtend niet.

'Natuurlijk ben ik tegen de aanslagen!' Fouad legde met

zo'n harde klap het wisselgeld voor haar neer, dat Ella achteruitdeinsde. 'Maar ik ben ook tegen illegale huiszoekingen.'

Ze mompelde iets instemmends en pakte een *Libération* uit de krantenbak Het was wel vroeg voor een politieke discussie, ze had nog niet eens ontbeten.

'Vannacht hebben ze het huis van mijn neef in de rue Moret overhoopgehaald. Hij heeft nog nooit iemand iets gedaan, maar toch kwamen ze zonder huiszoekingsbevel binnenvallen.'

Fouad slaakte een diepe zucht. 'Vier kleine kinderen! Allemaal wakker en bang en huilen natuurlijk, zelfs zijn vrouw en schoonmoeder werden van hun bed gelicht. Het is de tweede keer al dit jaar, midden in de nacht!'

Ella zocht naar een paar opbeurende woorden. Ze kende Fouad sinds hij twintig jaar geleden de kiosk had overgenomen. Het afgelopen jaar was zijn korte, zwart krullende haar grijs geworden en er lag een ongezonde gele waas over zijn wangen.

'Vorige week is de noodtoestand opnieuw verlengd. En dus kan de politie ongestoord haar gang blijven gaan. Nog minder rechten voor ons, nog meer macht voor de politie.'

Er kwam een nieuwe klant naast Ella staan. Hij droeg een chique grijze regenjas en hield een telefoon aan zijn oor geklemd, rode shawl losjes over zijn schouder. Ze schatte hem een jaar of vijftig. Een knap, maar ook heel vlak gezicht, vond Ella, als een overhemd dat net gestreken is.

De man pakte het extreemrechtse weekblad *Minute* van de stapel.

'De mensen vertrouwen elkaar niet meer,' zei Fouad.

'Nee,' antwoordde Ella gelaten, 'ze zijn bang en in de war.'

De man pakte zijn portemonnee uit de binnenzak van

zijn jas en Ella zette een stapje opzij om hem te laten betalen. Ze wierp een blik op de voorkant van haar eigen krant: *Overstroomt Parijs?* stond er in vette letters onder een fotomontage van een half ondergelopen Eiffeltoren.

De man legde zwijgend een biljet van tien euro neer.

'Maar waarom praten ze niet meer? Ze lopen de hele dag maar zwijgend aan elkaar voorbij. Dat is het probleem, begrijpt u? Wij praten toch ook?'

Dat was waar. Fouad was zelfs de enige met wie Ella sinds haar aankomst in Parijs had gesproken.

'Zo moeilijk is dat toch niet? Goedemorgen, hoe gaat het met u? Wat een slecht weer! Alles goed met de kinderen?'

Ella keek naar de man naast haar, die onverstoorbaar de berichten op zijn telefoon stond te lezen.

'Maar nee. Ze leggen zonder een woord te zeggen het geld voor me neer, en draaien zich zwijgend weer om.'

Het was krap in de kiosk. Aan weerszijden stonden de bakken met kranten en de uitpuilende rekken met tijdschriften, daartussenin de plastic dozen met paraplu's, souvenirs en petten met *I love Paris*. Op het dak roffelde de regen. De vochtige lucht versterkte de geur van het krantenpapier en Ella moest aan de kelder in haar oma's huis denken, met de hoge stapels beschimmeld papier naast de oude drukpers.

Eindelijk keek de man op naar Fouad. 'Kan ik misschien betalen?' Hij wees ongeduldig naar het briefje van tien euro en wapperde met zijn weekblad, als om de verschuldigde som van zijn koopwaar nog eens duidelijk te maken.

Fouad bestudeerde het biljet van tien euro en keek de man peinzend aan. Toen tuitte hij zijn lippen en schudde langzaam zijn hoofd.

'Hoezo niet?' vroeg de man geërgerd.

Fouad zuchtte. 'Ik kan het niet aannemen.'

'Daar ligt het geld,' zei de man. Hij knikte nogmaals naar het biljet.

'U krijgt hem van mij cadeau,' zei Fouad.

De man trok zijn wenkbrauwen op en keek vervolgens Ella argwanend aan, alsof hij vermoedde dat zij ook in het complot zat. Toen wees hij nogmaals resoluut naar het biljet voor hem.

'Geen sprake van. Heeft u het wisselgeld voor mij?'

Fouad sperde zijn ogen wijd open.

'Ik hoef geen geld hiervoor, u krijgt hem van mij.'

'Wat is dit voor flauwekul?' zei de man met meer stemverheffing. Zijn neusvleugels trilden. 'Ik wil gewoon betalen.'

'Het spijt me.' Fouad hief zijn handen verontschuldigend omhoog. 'Dat zal niet gaan vandaag.'

De man griste het biljet van de toonbank en smeet zijn weekblad weer terug in de bak. 'Wat een idioot,' mompelde hij, terwijl hij de kiosk uit beende. Fouad sloeg met zijn hand op de kassa. 'Ziet u? Ze willen zelfs geen cadeautje van me aannemen!'

Er kwam een oude dame binnengeschuifeld. Haar lichtblauwe ogen schoten nieuwsgierig van de een naar de ander. Ze hield een plastic boodschappentas tegen haar borst gedrukt. Ella kwam haar wel vaker tegen in de buurt. Ze woonde in een portierswoning aan de avenue de la République, met een tiental zwerfkatten om zich heen. Of misschien waren het er inmiddels wel twintig. De buren klaagden over de stank.

'U liet mij anders wel betalen,' zei Ella.

'Ja, maar u zegt mij ook altijd vriendelijk gedag.'

Ze draaide zich lachend om en stak bij wijze van groet de krant omhoog.

'Wat is er allemaal voor grappigs vandaag, Fouad?' hoorde ze de vrouw vragen. 'Vertel op, wat is er voor leuks gebeurd? Ik ben blij dat ik je weer eens zie lachen.'

3

Op het verwarmde terras van Les Anémones bestelde Ella een café au lait en sloeg de krant open. Sinds ze in Parijs was aangekomen was het nog geen dag droog geweest. Het leek een ironische kwinkslag van de goden om het uitgerekend in de stad waar het klimaatakkoord was opgesteld onophoudelijk te laten regenen. Hoewel de aanwezigen bij de ondertekening elkaar snikkend van vreugde in de armen waren gevallen, werd de kern van het probleem, de onbeperkte economische groei, niet onderkend. Als de regering geen verregaande maatregelen nam, voorspelde de schrijver van het hoofdartikel, zouden de komende decennia grote delen van Parijs onder water komen te staan.

Het beeld van de half ondergelopen Eiffeltoren moest de laatste klimaatsceptici over de streep trekken, maar Ella vreesde dat zelfs een alles overspoelende zondvloed hen nog niet zou overtuigen. Al die warmtelampen op de Parijse terrassen hielpen natuurlijk ook niet. Ze bladerde verder door de krant en pas nu viel haar blik op de datum, 2 maart. Er was, op één dag na, een half jaar verstreken sinds haar vader was overleden.

Ze doopte haar croissant in de koffie en keek naar een jonge vrouw die voor de ingang van Metro Parmentier met kokette gebaren de druppels van haar jas sloeg. Altijd elegant blijven, ook in barre weersomstandigheden.

Ze viste een pakje sigaretten uit haar tas. De spanningen rond haar vaders sterfbed waren zo hoog opgelopen dat ze na al die jaren weer was gaan roken. Ze stak een sigaret aan en keek naar het waterballet op straat. Ze was niet bij haar vaders overlijden geweest. Ze had geen afscheid van hem kunnen nemen, omdat haar moeder vergeten was haar op te bellen. Later zei ze dat Ella onbereikbaar was, omdat ze 'in het buitenland' zat. Dat was op zich een terechte constatering, ze was ook toen in Parijs, maar wel met een telefoon op zak en op nog geen vier uur reizen met de trein.

Na haar laatste bezoek aan haar vader in het ziekenhuis, was ze naar Parijs gegaan, waar ze zoals elk jaar een kunstreis zou begeleiden. De situatie van haar vader was ernstig maar stabiel, had de dienstdoende zaalarts haar verzekerd, hij verwachtte niet dat daar op korte termijn verandering in zou optreden.

Haar vader was echter de dag na haar vertrek onrustig geworden; zo onrustig dat haar familie besloot hem dormicum te laten toedienen. Ella wilde net aan haar rondleiding door Beaubourg beginnen toen ze door Tobias werd gebeld.

'Weet je wel wat er aan de hand is?' vroeg haar zoon, met een rare kreukel in zijn stem.

'Nee, wat dan?' vroeg ze een beetje gehaast vanwege de cursisten die om haar heen stonden. 'Is er iets met opa?'

'Ze hebben hem een of ander middel gegeven,' zei Tobias. 'Je moet echt meteen naar huis komen.'

'Een kalmeringsmiddel?'

'Ik weet het niet precies. Oma zegt dat hij niet meer wakker zal worden.'

Ella geloofde niet wat haar zoon haar vertelde. Ze probeerde hem gerust te stellen en liep van de groep cursisten weg om het ziekenhuis te bellen. De verpleegster onderbrak met zachte stem haar relaas. Ze vertelde dat haar vader zojuist, nog geen minuut geleden, was overleden.

'Gecondoleerd, mevrouw Theisseling,' fluisterde ze door de telefoon. Nee, er was niemand van de familie aanwezig. Ze waren naar huis gegaan om uit te rusten. Het was veel sneller gegaan dan verwacht.

Het geluid van het verkeer drong amper meer tot haar door. Haar vader moest hebben gemerkt dat er niemand aan zijn bed zat, zelfs toen hij niet meer bij bewustzijn was. Hij had alleen de oversteek moeten maken. Ze wist niet of hij zich tot zijn laatste snik had verzet of zich toch nog had kunnen verzoenen met zijn einde. Ze vreesde het eerste, want hij kende weinig vrede, niet tijdens zijn leven, en waarschijnlijk ook niet tijdens zijn dood.

Ze begreep niet waarom haar moeder haar niet had gebeld. Of haar broer. Er stonden die middag geen gemiste oproepen op haar telefoon. Ze had de eerste trein kunnen nemen en er al een paar uur later kunnen zijn. Nu was er geen mogelijkheid geweest voor het wisselen van een laatste woord of blik met haar vader. Zijn dood was er niet alleen heel onwerkelijk door geworden, maar kon ook niet meer in iets anders – een verzoenende nabijheid of laatste oprisping van tederheid – omgezet worden.

Haar ogen gleden langs de dakkapellen van de *chambres de bonnes*, waar de zinken platen moeiteloos overgingen in het grijs van de wolken. Dolende wolken, die aan de parade van schoorstenen en tv-antennes voorbijtrokken, zwanger van nog meer regen.

Het was haar laatste dag in Parijs. Straks zou ze naar de historische archieven van de stad gaan, een bezoek dat ze tot het laatste moment had uitgesteld. Daarvoor ging ze bij het graf van Laurent op Père-Lachaise kijken, zoals ze Anne had beloofd.

Vanaf het terras kon ze nog net haar appartement op de zesde verdieping zien liggen. Op die hoogte houden we voorlopig nog wel droge voeten, dacht Ella.

Ze bestelde nog een koffie. Ze kon zich geen Parijs zonder Annes woning voorstellen. Ze hield van haar appartement met het krakende visgraatparket, de blauwe badkamer en de woonkamer met de schilderijen van Laurent aan de muren. Links een zwarte zon in een melkwit maanlandschap, rechts de vage contouren van een Griekse vaas in een ochtendblauwe zee.

Ze kenden elkaar al vijfentwintig jaar. Anne was de eerste Franse student die na afloop van een college een praatje met haar had gemaakt. Daarna bezochten ze samen de gratis lezingen in de Sainte-Chapelle en namen ze deel aan de seminars van Cixous en Deleuze in Vincennes. Eind jaren tachtig hing daar nog een wolk van hoop en revolte boven de collegebanken, waar kettingrokende docenten vanachter hun katheder even bevlogen als onnavolgbare betogen afstaken.

'Uw koffie, mevrouw.'

Ella schrok op uit haar overpeinzingen.

Ze schoof het kopje naar zich toe, als om te bewijzen dat ze alles nog goed op een rijtje had. Door de jaren heen was ze Anne als de zus gaan beschouwen die ze zich vaak had gewenst. Veel in haar leven zou anders gelopen zijn als ze een zus had gehad, meende ze. Nu moest ze het zonder haar gezelschap zien te stellen; Anne was onlangs met een Japanse kunstenaar getrouwd en naar Tokyo verhuisd. Ze zagen elkaar nog maar weinig, maar Anne had gelukkig wel haar appartement in de rue Oberkampf aangehouden.

Ella had er de afgelopen dagen veel tijd doorgebracht. Ze dwaalde er tussen de vertrouwde meubels en voorwerpen, pakte hier en daar foto's of boeken op en eindigde steevast mijmerend voor het raam in de hal, dat het meest weidse uitzicht bood over de stad.

Herinneringen aan vroeger waren boven komen drijven, zoals een huilende, pasgeboren Tobias, met wie ze eindeloos door de salon heen en weer had gelopen, zich telkens verbazend over het beeld van hun tweeën in de hoge spiegel boven de schouw. Het had niet als een uitbreiding van haarzelf gevoeld, zoals ze sommige moeders had horen zeggen, het was eerder alsof ze lid van een nieuwe deelverzameling was geworden; een groepje cirkels die aan de randen in elkaar overvloeiden en waar ze bij tijd en wijle behoorlijk nerveus van werd.

Urenlang had ze met Tobias op het smalle balkonnetje gestaan, omdat alleen de herrie van de rue Oberkampf hem stil wist te krijgen. Hij luisterde er heel aandachtig naar, alsof hij enorm onder de indruk was van iets wat nog meer geluid kon maken dan hij. Anne had Tobias vaak op schoot gehouden en weemoedig langs de mollige plooien rond zijn pols gestreken; het nieuwe leven en het verdriet om de dood van Laurent in één beeld verenigd.

Nu studeerde Tobias bij zijn vader in Boston, werkte Reindert in Berlijn, was Anne in Japan en zat zij alleen in Parijs. Van de deelverzamelingen die zij ooit vormden was weinig meer over. Ze had altijd gedacht dat al die mensen gewoon bij haar in de buurt zouden blijven, maar het had anders uitgepakt. Ineens stond ze daar met lege handen.

De afgelopen dagen had ze de bekende trajecten uit haar studietijd gevolgd. Ze was een middag naar de Bibliothèque Nationale geweest, ze had een paar galeries en boekhandels bezocht en een lezing in de Sainte-Chapelle bijgewoond. Tussen de buien door wandelde ze langs het Canal Saint-Martin of door de nabijgelegen wijk van de Marais. Ook daar was het stil; zelfs voor de afhaalbalie van L'As du Fallafel stonden nauwelijks mensen. Gistermiddag was ze tot sluitingstijd in het Musée de Cluny voor de zestiende-eeuwse tapijten van de dame met de eenhoorn blijven zitten.

Op die tapijten stonden de vijf zintuigen afgebeeld, maar op *Mon seul desir* was er nog één aan toegevoegd. Dat zesde zintuig verwees mogelijk naar de intuïtie, maar voor de dame in kwestie stond het gelijk aan generositeit, gezien de vele geschenken die ze aan een jongere vrouw, misschien haar dochter, uitdeelde. Ella zag de knielende eenhoorn en de bevallige dame die dezelfde kleur haar had als zij – Venetiaans blond, maar bij haar thuis werd het gewoon 'peenhaar' genoemd – en probeerde haar 'enige verlangen' te benoemen. Wat kon haar nog zo gelukzalig maken als die dame met haar zacht geloken ogen? Zo'n blauwe met gouden sterren bespikkelde tent boven haar hoofd? Weer iets voelen?

Het afgelopen jaar was er veel, en tegelijk – dat was het gekke – ook hoegenaamd niets gebeurd, althans niet voor haar gevoel. De gebeurtenissen leken niet langer samen te trillen met haar emoties. Er was van alles gebeurd, maar zij kon er niet goed mee harmoniëren. Niet met de rouw. Niet met het verlies. Wat zij meemaakte en wat zij voelde liep niet langer synchroon en wilde zich niet mengen tot een heldere toon. De stemvork van haar bestaan was te veel uiteengebogen.

'Je moet minder hard werken,' zei Reindert door de telefoon.

'Ik voer al haast niets uit,' sputterde ze tegen.

Ella pakte het schrift uit haar tas dat ze in de museumboekhandel had gekocht. Een dik, okerkleurig schrift, met genaaide bladzijden en lichtblauwe lijntjes, waarin ze een verslag van haar reis, maar ook van haar dromen en herinneringen wilde bijhouden. Ze vouwde het open en begon te schrijven.

'2 maart. Het is mijn vijfde dag in Parijs, en het regent nog steeds. Mijn verblijf voelt als een zinloos oponthoud. Ik vraag me af of je een stad als Parijs ooit kunt toebehoren? Als ik alle studieverblijven en werkbezoeken bij elkaar optel, heb ik hier toch zeker zo'n vijf jaar gewoond, maar ik blijf me er een passant, een willekeurige toeschouwer voelen. Parijs is een soort trofee, duur en hard als een flonkerende diamant, zelfs nu er afgelopen winter diepe barsten in zijn geschoten.

Elke ochtend ga ik eropuit, maar elke middag keer ik vroeger naar huis terug, met een volle boodschappentas de zes trappen omhoogzeulend. Annes woning voelt nog altijd veilig en vertrouwd. Urenlang zit ik aan de ronde tafel voor het raam te lezen of over de stad uit te kijken. Het is een uitzicht dat me nooit verveelt, zelfs niet onder die grauwe, laaghangende wolken. 's Nachts lig ik naar de sirenes van politieauto's en het dronken gejoel van de zwervers beneden in de rue Oberkampf te luisteren, totdat een slaappil ook die herrie weet te smoren.

Als ik dan eindelijk slaap, duikt pa meestal in mijn dromen op. Ondanks zijn bizarre uitdossingen herken ik hem meteen. Vannacht had hij een blauw narrenkostuum met zilveren belletjes aan en een soort gasmasker op zijn hoofd. Hij zette een jengelende kleuter op mijn knieën neer, een meisje met een hoge blonde vlecht, dat gilde van "nee" en met haar armen wild om zich heen maaide. Uit alle macht probeerde ze van mijn schoot weg te komen, maar ik bleef haar stevig vasthouden; het was mijn moeder in een roodfluwelen prinsessenjurk.

Ik denk dat het goed is om die bizarre dromen, die me hier elke nacht overvallen, op te schrijven om weer een beetje houvast te krijgen. Ik weet dat ik nog verder naar binnen moet tasten, die donkere, ongewisse diepte tegemoet. Er zit zowel angst als verzet in die droom, en het liefst zou ik er met een grote boog omheen lopen. Maar als ik me iets heb voorgenomen voor deze reis, dan is het om dit alles niet langer uit de weg te gaan.'

Ze keek op van haar schrift. Het was opgehouden met regenen. Voetgangers klapten na een argwanende blik naar boven geworpen te hebben hun paraplu's in. Ze telde de bonnetjes bij elkaar op en legde het geld op het groene schoteltje neer. Ze moest nog twee dingen doen voordat ze verder kon reizen.

4

Ella nam de zijingang van Père-Lachaise aan de avenue Gambetta. Een kleine twintig jaar geleden hadden ze Laurent er begraven, op een gure, winterse ochtend in december; ze was hoogzwanger van Tobias geweest. Verslagen hadden ze aan zijn graf gestaan, kleumend in de ijzige wind. Zijn dood was ontzaglijk en onbevattelijk, te zeer in tegenspraak met hun jeugd, hun dromen en alles waarin ze geloofden. De dood is het grote raadsel, dacht ze, maar hoe jonger de doden, hoe heviger de radeloosheid.

Ze liep over een kronkelend pad naar de plek onder de dennenboom, waar verscholen achter een paar scheve graftombes het graf van Laurent lag. Ze veegde de bladeren weg van de steen. 'Mijn zoon Laurent, *artist peintre*, is overleden,' had zijn vader op de grafsteen en in het familiebericht in *Le Monde* laten plaatsen. Altijd had hij zich tegen de schilderscarrière van zijn zoon verzet, maar postuum wilde hij de wereld wél van zijn kunstenaarschap op de hoogte brengen.

Drie weken na Laurents overlijden werd Tobias geboren. Ze had einde en begin in een en dezelfde maand moeten begroeten. Het was niet gemakkelijk geweest om tegelijkertijd te rouwen en te verheugen en toch had zijn geboorte het enige zinnige antwoord op de dood geleken. Ella legde het bosje witte rozen neer dat ze onderweg had gekocht. Even had ze de indruk dat ze die bloemen ook

voor haar vader neerlegde. Zijn dood was ook onbevattelijk, maar om heel andere redenen.

Het werd donker boven de begraafplaats, het begon opnieuw te regenen. Ella liep langs het graf van Balzac naar
de uitgang. Het regende zo hard dat ze even onder de pui
van een telefoonwinkel op de avenue de la République
ging schuilen. Na een paar minuten stroomde het regenwater ook daar langs de randen naar beneden. Dus holde
ze het eerste het beste café binnen en ging aan een tafeltje
voor het raam zitten. Koffie met een cognacje, vooruit, om
een beetje op te warmen.

Aan de bar zaten een paar mannen aan de rode wijn. Over
hun schouder gluurden ze naar haar. Die blikken waren
belangrijker voor haar dan ze wilde toegeven, maar dit
keer had ze niets in de gaten.

De ober zette de cognac voor haar neer. Ze draaide het
ronde glas een paar keer in haar hand, nam een slokje en
voelde de alcohol in haar keel branden. Ze pakte de krant
uit haar tas en bekeek de weersvooruitzichten. Overal regende het de komende dagen in Frankrijk, maar in de loop
van de week zou in het zuiden de zon gaan schijnen. Ze
zou eerst een paar dagen naar de Bourgogne gaan en dan
langzaam afzakken naar de Gard.

Het liefst was ze meteen de dag na de begrafenis al op
reis gegaan, maar haar magere banksaldo zorgde ervoor
dat ze zich eerst door het stapeltje resterende opdrachten
heen moest werken. Recensies, een paar artikelen en een
handvol lezingen over de morele, politieke of therapeuti-
sche waarde van kunst. De kunst zelf voldeed niet meer,
er moest tegenwoordig altijd een extrinsieke waarde bij
worden gesleept. Daarnaast had ze toegezegd om een tekst
voor de catalogus van een bevriende kunstenaar te schrijven. Het was niets bijzonders, niets wat ze niet al honderd

keer eerder had gedaan, maar het kostte haar allemaal veel moeite.

Na het werk lag ze uitgeput op de bank naar een beeldscherm te kijken. Ze zette haar telefoon op stil, trok de gordijnen dicht en hield zich zelfs voor haar beste vriendinnen verscholen. Ze moest alleen zijn, mailde ze Det en Iris, om de dood van haar vader te verwerken, een proces dat maar niet goed op gang leek te komen. En ze wilde een tijdje rustig nadenken. Dat laatste viel moeilijk in overeenstemming te brengen met haar gedachteloze zappen, maar goed, ze probeerde zo goed en zo kwaad als dat ging vanuit het schemerduister van haar woning in de Anjeliersstraat weer enige greep op de gebeurtenissen te krijgen. Op het laatst beantwoordde ze ook de berichten in haar mailbox niet meer; ze voorzag alleen de meest urgente van een geel vlaggetje, als de lichtboeien die lagen te dobberen op de oceaan van haar onbereikbaarheid.

Er hing die hele winter iets noodlottigs in de lucht. Een vreemde, beklemmende gewaarwording die op de meest onbenullige ogenblikken toesloeg, als ze iets weggooide in de vuilnisbak op het balkon of haar haren uit het afvoerputje van de douche viste. Dan leek er iets aan de rand van haar gezichtsveld te bewegen, maar zodra ze haar hoofd ernaartoe bewoog, schoot het pijlsnel weg.

Ze was bang dat er weer muizen zaten, en als ze ergens niet tegen kon, dan waren het wel muizen.

's Nachts dreef het loden gegalm van de klok van de Westertoren haar slaapkamer binnen en trok daar, naarmate de uren verstreken, steeds nauwere cirkels om haar heen. Blijkbaar was zij uitverkoren om het slapeloze middelpunt van het zeventiende-eeuwse raderwerk te zijn. Met elke slag telde de klok de verliezen nog eens voor haar op. Tegen de ochtend lag ze omhuld door het loden gedreun nog altijd naar het plafond te staren.

De eerste slag was voor haar vader en ze probeerde het galmen diep tot zich te laten doordringen, maar dan was de tweede slag er al, voor haar moeder, die ze al maanden niet had gesproken. De derde dreun, voor Tobias die na de kerstvakantie bij zijn vader in Amerika was gaan studeren, boorde dan eindelijk een paar gevoelens in haar aan, bezorgdheid vermengd met liefde, veel liefde. Meestal viel ze pas bij de vierde nachtelijke slag – voor Reindert – eindelijk in slaap.

Toen alle lezingen gehouden en artikelen geschreven waren, boog ze zich eind februari over de kaart van Zuid-Europa. Ze wilde weg uit Amsterdam en zocht een plek waar het lichter en warmer en verder weg van haar familie was. Maar waarnaartoe? Ze had de moed noch de kracht om een verre reis te boeken en een vliegtuig te pakken, ze wilde alles zo eenvoudig mogelijk houden.

Eerst maar een weekje naar Parijs, besloot ze, en daarna met de auto langzaam naar het zuiden rijden. Ze liet zich een beetje meeslepen door het klassieke beeld van de roadmovie: een paar weken door het Franse land toeren, over langgerekte heuvels en door golvende graanvelden dwalen met de zon op het halfopen dak en overnachten in een *chambre d'hôte*. Alles heel vertrouwd, maar wel met een snufje ongewisheid, want een echt reisdoel had ze niet.

De laatste avond voor haar vertrek beantwoordde ze in één keer alle mails met een geel vlaggetje, liet Tobias en Reindert weten dat ze een paar weken op reis ging, betaalde de uitstaande rekeningen en wilde net haar laptop dichtklappen toen het belletje rinkelde van een nieuw binnengekomen bericht.

Het bericht was van Unseen, het jaarlijkse fotofestival in de Westergasfabriek in Amsterdam. De meeste uitnodigingen voor exposities liet Ella ongelezen, het waren er gewoon te veel, maar nu kwam haar vinger toch op 'openen bericht' terecht. Het bleek een verzoek om het komende najaar een lezing te komen geven op het festival. Ze voelde meteen weerzin opkomen, want ze wilde voorlopig geen lezingen meer geven, ze kon haar warme pleidooien voor de kunst zelf nauwelijks meer aanhoren. De kunst moest het maar eens een tijdje zonder haar zien te stellen.

Verveeld liep ze de lijst van internationale galeries en fotografen na, totdat ze ergens halverwege de lijst aan een bekende naam bleef haken.

Dus toch, was het eerste wat in haar opkwam. Marc Garcia was dus toch fotograaf geworden en werkte niet bij een kerncentrale, zoals zijn moeder haar nog op bitse toon te kennen had gegeven, toen ze ruim twaalf jaar geleden zijn ouderlijk huis voor het laatst had gebeld. 'Hij is getrouwd en heeft twee kinderen hoor!' had ze er triomfantelijk aan toegevoegd. Het zou beter zijn als Ella niet meer belde. Daar had ze zich maar aan gehouden. De jaren ervoor, telkens als een liefdesverhouding weer eens in het slop dreigde te raken, had ze Marc nog wel gebeld, alsof hij nog altijd de toetssteen van haar liefdesleven was. Maar dat was inmiddels al lang geleden. Ze had eerlijk gezegd in geen jaren meer aan hem gedacht.

Ze vond op internet enkele fotowerken van zijn hand, landschappen die ze van vroeger herkende, in ijle zwartwitte tinten, veel mist en *brouillards d'été*, maar helaas geen portretfoto. Wel verscheen zijn naam op de aankondiging van een groepsexpositie, *Paysages cathares*, in de kerk van Collias. Dat dorpje kende ze, heel goed zelfs, en ze bekeek zijn foto's nog wat beter en probeerde er iets van zijn manier van kijken in te herkennen.

Ze had haar reisdoel eindelijk gevonden. Ze zou terugkeren naar de streek waar ze alle zomervakanties van haar jeugd had doorgebracht. De groene rivier terugzien, de met mimosa begroeide heuvels, de rotsen en scherpe *gorges*, die het landschap een mythische aanblik gaven. Ze zou misschien ook naar die opening in Collias gaan en Marc terugzien, na al die jaren, of misschien ook niet, het maakte haar niet eens zoveel uit. Ze was tevreden genoeg met het reisdoel zelf.

Elk jaar bracht ze wel een vakantie in Zuid-Europa door, maar nooit eerder was ze naar de Gard teruggegaan. Vrijwel alle naburige streken had ze bezocht en daar de mistral door de bomen horen suizen en het licht gezien dat rond het middaguur zo scherp werd dat het rechtstreeks uit de hemel leek te komen, maar nooit was ze naar de plek aan de rivier teruggekeerd.

Misschien had ze de plek vermeden uit angst niets terug te vinden van de herinneringen die ze al zo lang met zich meedroeg: de beschaduwde bogen van de brug bij maanlicht, de snelstromende rivier waar ze op haar luchtbed vele honderden meters stroomafwaarts dreef en dan weer terugpeddelde, met beide handen de kracht van het water trotserend.

Misschien hadden die zomers in de Gard haar vroeger niet geïnteresseerd. Je wil pas terugkijken als je een zekere leeftijd hebt bereikt, dacht Ella, terwijl ze het laatste slokje van haar cognac opdronk en haar portemonnee uit haar tas viste. *In media vitae*, zoals Dante schreef. Ze zou over een paar dagen achtenveertig worden, al over de helft dus, en dan begint het verleden te spoken.

5

De metro dampte van de regenjassen, die dicht opeenge-
pakt tegen elkaar stonden. Pas na een paar haltes kon Ella
een klapstoeltje bemachtigen. Ze leunde rozig achterover
en dacht aan de streek die ze de komende week voor het
eerst zou terugzien. Toen zij er eind jaren zeventig voor
het eerst met haar familie kwam, was de Gard nog een
onherbergzaam gebied van verlaten dorpen en uitgestrekte wijnvelden, maar er zou inmiddels wel veel veranderd
zijn. Ze herinnerde zich de ruige *garrigues*, het kreupelhout van doornige heesterstruiken en jeneverbessen dat
de rotsachtige kalkbodem vrijwel geheel bedekte en wandelen vrijwel onmogelijk maakte. Dat kwam goed uit,
want ze wilde niet wandelen maar zwemmen en 's avonds
naar de oogstfeesten in de naburige dorpen.

Ook wilde ze naar de Encierro die elke zomer gehouden
werd en waar ze zich, als de trompetten geschald hadden,
dicht tegen de huizen moest drukken om niet onder de
voet te worden gelopen door de jonge stieren die door de
straten werden gejaagd. Ze kende de jongens die achter de
stieren aan holden en het lintje van de horens probeerden
te trekken, een ervan was haar vriendje. Ze voelde zijn
angst als de stier zich plotseling naar hem omdraaide en
woest met zijn hoeven over de keien begon te schrapen.
Ze popelde om mee te doen en samen met Marc de woede
van de jonge stieren te trotseren.

En verder wilde ze vooral bij hun brug over de rivier rondhangen. Duiken, zwemmen, de rotsen weer op klauteren. Het was het leven zelf dat haar betoverde, de zindering van elke nieuwe zonovergoten dag, de intensiteit ervan, het bloed dat door de straten stroomde, de eerste dronkenschap van de lokale muscat-wijn. En het was de plek van haar eerste liefde, met alle adolescente verwarring en fysieke oprispingen van dien, maar toch: een echte liefde, die drie zomers duurde en met zeker honderd brieven bezegeld werd.

Ella staarde naar de veelheid van natte schoenen en tassen voor haar. Morgen zou ze vertrekken. De geur van hars en gedroogd kruid weer eens opsnuiven. Ze verlangde naar de sensatie van thuiskomen op vreemd grondgebied.

Geen landschap wist haar zintuigen zo sterk te prikkelen als de Midi. Ze had er iets voor over om weer te voelen, te ruiken en te ervaren, in plaats van in gedachten steeds dezelfde pijnsporen te volgen. Ze kon wel wat zintuiglijke sensaties gebruiken om haar gepieker uit die monotone groef te trekken. Een beetje ruimte en vrijheid om haar heen, daar snakte ze naar. Wat was vrijheid anders dan zelf te mogen bepalen waarover ze nadacht?

Bij Porte des Lilas stapte Ella uit en liep naar het gloednieuwe gebouw van de archieven aan de boulevard Sérurier. Het leek eerder op een ruimtestation dan op een bibliotheek, alsof ook het verleden in de vaart van de vooruitgangsdrift moest worden opgenomen.

Toen ze eindelijk aan de beurt was, vertelde de jongen achter de balie dat ze haar verzoek alleen digitaal kon indienen. Ze had zich de reis kunnen besparen. Hij gaf haar een brochure met instructies voor de zoekopdracht en een inlogcode voor een van de beschikbare computers.

Ze typte met enige schroom de naam in die haar moeder haar tijdens hun laatste gesprek had gegeven. Af en toe keek ze om zich heen, als om zich ervan te vergewissen dat niemand zag wat voor rare vragen zij op de archieven afvuurde. Maar naast haar zaten vooral hoogbejaarde mensen in hun stamboom te graven, en gingen daar zo in op dat ze haar aanwezigheid niet eens opmerkten.

'U krijgt binnen twee weken antwoord,' zei de jongen, die haar bij het verlaten van de zaal een bemoedigende glimlach toewierp.

Veel wijzer was Ella niet geworden. Ze stapte de metro weer in en plofte op een bankje neer. Ze wist niet wat ze met die anekdote over haar mogelijke Franse betovergrootvader aan moest, maar ze had in ieder geval een poging gewaagd de waarheid te achterhalen. Ongedurig draaide ze heen en weer op het metrobankje. Wat de uitkomst van het onderzoek ook zou zijn, het zou toch niet veel aan haar moeizame verhouding tot haar familie veranderen.

Door het beslagen raampje keek ze naar de affiches op het perron. De metro begon te rijden, maar bleef halverwege de tunnel weer stilstaan. Langs de grof bepleisterde wanden stroomde het water naar beneden. Ze vroeg zich af hoelang dit nog kon doorgaan voordat er zich ondergrondse rivieren zouden gaan vormen, die aangeblazen door de wind een vloedgolf zouden veroorzaken.

Om haar heen stonden de reizigers op hun telefoon te kijken. Een man drong zich met enige moeite naar voren en ging vlak voor haar staan. Het duurde even voordat ze de geur kon thuisbrengen, maar toen wist ze het. Het was de geur van haar vaders winterjas, dezelfde grove, harde schapenwol. Als ze achter op de fiets met hem naar de bibliotheek ging, legde ze haar wang er altijd tegenaan. Juist die dikke, stugge jas had haar een gevoel van veiligheid gegeven. 'Mon père,' hoorde ze Barbara in gedachten zingen, '*mon père*', en dan die snik in haar stem.

Ze stonden al zeker vijf minuten stil, maar niemand leek zich er druk om te maken. Waarom werd er niets omgeroepen? Ella veegde met haar mouw het beslagen raampje schoon en keek naar buiten. Een beroete, schuine muur waar het water langs droop, een paar kabels met zwarte tape slordig bijeengebonden, een onleesbaar cijfer, uitgevlakt door de tijd.

Ze had altijd gehoopt dat haar vader op zijn sterfbed nog iets tegen haar zou zeggen. Dat er een moment zou komen waarop alles wat er vroeger was voorgevallen ruimhartig vergeven kon worden. Maar in plaats daarvan had ze zelfs zijn overlijden gemist. De verhouding met haar vader bleef er een van afstand en gemiste kansen.

Haar oren begonnen te suizen en ze ademde een paar keer diep in en uit. Ze voelde de huid op haar armen en handen prikken, als kippenvel dat ineens op komt zetten. Toen hoorde ze het schurende geknars van de wielen en kwam de metro schokkend weer op gang.

Misschien was het juist wel een goed idee om naar de Gard terug te gaan, dacht Ella. Terug naar de rivier waar ze zwemmend van de ene oever naar de andere afscheid had genomen van haar kindertijd. Wellicht zou ze op die plek ook leren om afscheid te nemen van haar vader. Want daarin slaagde ze maar niet. Het lukte haar zelfs zo slecht dat het soms leek of hij niet werkelijk gestorven was.

Ze wist nog steeds niet wie ze nu eigenlijk had verloren: een liefdevolle vader of een cynische driftkop. Als ze die conflicten eens onder ogen durfde zien, zou het rouwproces misschien ook op gang komen. 'Sluizen open!' had Paulien, de therapeute van de huisartsenpraktijk, enthousiast geroepen toen ze vanwege een bont scala aan fysieke klachten naar haar werd doorverwezen. Maar hoe Ella ook draaide aan het rad dat die sluizen open moest zetten, er welde nog geen traan in haar ooghoek op.

Een vreemde onaangedaanheid, de hele afgelopen winter lang. Nooit had ze de leegte kunnen vermoeden waarin ze na haar vaders dood terecht was gekomen, dit uitblijven van enig gevoel. Soms leek het wel of haar huid gedrenkt was in pek; er drong geen gevoel tot door, maar er bleef wel van alles aan kleven: harde woorden, uitschietende handen, dreigende gebaren. En nu ging ze morgen op weg naar de plek, waar ze juist met veel moeite onder haar vaders gezag vandaan gekropen was. Waar ze met een moed die haar nu hogelijk verbaasde steeds opnieuw zijn wetten overtrad. Ze moest en ze zou van de vrijheid proeven, hoe vaak ze daarvoor ook werd gestraft.

Ze was doordrongen van een diep besef wie ze wilde zijn en wat het leven van haar verwachtte. Ze leek vroeger wel bedwelmd door de nietsontziende hitte en de mistral – *le vent qui rend fou* – die zelfs de steilste pijnbomen vooroverboog. Keer op keer tartte ze het lot, tartte ze haar vader. Ze kroop 's nachts stiekem haar tentje uit voor geheime afspraken en zwom ondanks het stringente verbod steeds opnieuw de gevaarlijke, snelstromende rivier over.

Tijdens die zwempartijen in de Gardon hield ze haar blik altijd strak gericht op de overkant. De overkant van de rivier zien te halen, dat was haar enige doel. De brede rivier oversteken, waarin ze meestal net iets te vroeg met haar voeten peilde of ze al bodem had, uit evenwicht raakte en een paar seconden met haar benen in het niets spartelde, om vervolgens weer met krachtige slagen naar de overkant te zwemmen, haar hoofd net boven het wateroppervlak, haar ogen gericht op het kiezelstrand.

Voet aan wal zetten, daar verlangde ze ook nu naar. Ze was al maanden alleen maar aan het spartelen, met haar grote, blote voeten malend door een grauw en duister niets. En wat er aan de overkant wachtte, daarvan had ze geen flauw idee.

Maar morgen ging ze terug naar de Gard om die plakkerige onverschilligheid van zich af te spoelen. De komende week zou ze terugkeren naar de plek die haar kon vertellen wie dat meisje was dat vroeger op elke tegenslag met een duik in de rivier antwoordde.

Soms moet je ook voor je herinneringen in de bres springen, dacht Ella. Of zij voor jou.

Metro Parmentier. Eindelijk. Ella holde de trappen op en rende door de regen naar de rue Oberkampf. Bij de kruidenier op de hoek kocht ze eieren en een fles wijn. *'Ah, çe mauvais temps, madame,'* zei Yassine. Zeg dat wel. Veel slechter kon het niet worden. Het was tijd om te gaan.

6

De volgende ochtend was het in Parijs eindelijk droog, maar toen ze een paar uur later bij Avallon de afslag van de A6 nam, werden de wolken alweer als zwarte schapen over de bergen van de Morvan gejaagd. Ella reed het oude stadscentrum binnen en parkeerde de auto op een pleintje tegenover een café. In de Bistro l'Horloge stond een man met een leren schort achter de bar, die de naam van zijn etablissement eer aandeed; hij vertelde haar bij binnenkomst dat ze te laat was voor de lunch, maar na enig aandringen was hij bereid een sandwich voor haar klaar te maken.

Ze pakte de lokale krant van de bar. Een historicus vertelde in een interview dat er mogelijk een verband bestond tussen Avallon en het eiland Avalon uit de Arthurlegende. Arthur zou niet in Engeland maar hier in de Morvan in de zesde eeuw een verwoede strijd om de vestingstad gevoerd hebben. De naam Avallon kwam uit het Gallois en betekende 'appel'. Veel meer bewijzen had hij niet. Het was een originele zienswijze, maar Ella vreesde dat hij op weinig steun van zijn Britse collega's kon rekenen.

De sandwich werd voor haar neergezet en ze bladerde al etend door de familieberichten: een foto van een pasgeboren baby werd gevolgd door meerdere pagina's overlijdensadvertenties. De verhouding tussen geboorte en dood was enigszins zoek in de Morvan. Toen hoorde ze een knetterende onweersflits, vrijwel onmiddellijk gevolgd door dof gerommel.

Ella berekende de leeftijd van de overledenen, een gewoonte van de laatste jaren. Er was een man van vierentwintig bij, die was omgekomen bij een verkeersongeval. Verder veel tachtigers en negentigers, een vrouw die 102 was geworden. Ze staarde naar buiten. Het water gutste door het smalle straatje naar beneden. Het onweer bevond zich nu vlak boven het centrum. De eigenaar van het café knipte de lampen aan. Haar vader was tachtig jaar geworden.

Er waren maar weinig mensen die huilden op haar vaders begrafenis. Misschien omdat hij zo lang ziek was geweest en iedereen al aan de gedachte van zijn overlijden gewend was geraakt. Ze zag het moderne gebouw van witte bakstenen en hoge glazen puien weer voor zich. Ze had zich de hele middag geen houding weten te geven en alleen een grote mate van ontreddering gevoeld. Steen en glas, de leegte van gebaren, het uitblijven van gevoelens, niets leek meer te zijn wat het was. Ze was niet alleen vervreemd van haar familie, maar ook van de werkelijkheid, alsof iemand een vergissing had gemaakt en ze in de verkeerde tijd en ruimte was beland.

De gasten namen zwijgend plaats op de houten banken, in afwachting van de dingen die komen gingen. Dat duurde even, want blijkbaar had de pianist de trein gemist. Ze ging naast haar moeder op de voorste rij zitten en staarde naar de kroonluchters, waar kralen in de vorm van glazen ijspegels aan hingen, en naar de kist voor het podium waar haar vader in lag. Of misschien moest ze zeggen: waar hij in zijn 'kissie lag', zoals in het liedje van Bob Scholte, dat haar vader tijdens de zomerse autoritten naar de Gard ontelbare malen ten gehore bracht.

Ella keek achterom naar de bar, en vroeg de man die de

glazen stond te poetsen om een witte wijn.

'Vézelay of een Petit Chablis?'

De laatste graag. Ze kreeg er zelfs een schoteltje pinda's bij.

Dat liedje werd beroemd door de *Bonte-avondtrein*. Haar vader woonde als jongen op een steenworp afstand van de studio's in Hilversum en glipte er tijdens de radio-opnames met zijn boezemvriend Klaas stiekem naar binnen. Klaas was de zoon van de groenteboer, een jongen met blond piekhaar die volgens haar vader geen angst kende; een uit de kluiten gewassen durfal, die kansen zag en kansen greep. Gratis ergens naar binnen sluipen, de buurt onveilig maken op de bakfiets waarmee ze de bestellingen rondbrachten, rotjes gooien door de brievenbussen, stropen in de bossen, vissen in de Loosdrechtse plassen. Klaas was de ultieme geluksreferentie van haar vader, de Herakles aan wie hij zich niet kon meten, maar die hem wel de schaarse gouden momenten van zijn jeugd bezorgde. Zelfs een halve eeuw later blonken haar vaders ogen nog van bewondering als hij over hem vertelde.

Klaas was niet bij de uitvaart van haar vader. Ella had hem zelfs nooit ontmoet en kon dus alleen maar gissen naar deze held van de Hilversumse Bloemenbuurt. Een tijdje geleden had ze op de radio een interview met een cabaretier gehoord die in dezelfde buurt was opgegroeid en met zijn ironische smartlappen de gemoedstoestand van haar vader aardig wist te vertolken. Uit volle borst had ze haar vader zijn lied 'De huwelijkse staat' horen zingen, maar wat 'Het ding' van Scholte nu precies was, daar was ze nooit achter gekomen.

Want haar vader wist een geheim te bewaren. Hoe ze hem vanaf de achterbank van de auto ook smeekte om te vertellen wat er in dat 'kissie' lag, hij begon gewoon opnieuw te zingen: '*Ik liep eens langs het stille strand bij*

Zandvoort aan de Zee, en zag daar toen een grote kist die in de branding lee', en wierp haar in de spiegel die hem zo typerende blik toe, vermanend en spottend tegelijkertijd.

Hij was altijd in voor een geintje, met een lichte voorkeur voor het absurde, een gek loopje, een maffe grijns. *'Ik viste hem op en raad eens wat ik zag? Ik zag een knots van een boemerdeboem die in dat kissie lag.'* En weer die blik, dreigend én olijk, die ze haar hele kindertijd nauwlettend had bestudeerd, omdat ze al jong vermoedde dat er iets onheilspellends achter schuilging.

Ja, haar vader wist een geheim te bewaren. Ook haar 'vindplaats' had ze nooit weten te achterhalen. Als kind werd haar verteld dat ze in het bos was gevonden, een grap natuurlijk, maar zelfs haar vader had op zeker moment niet meer geweten hoe hij die grap nog moest beëindigen. Zij had het verhaal gewoon voor waar aangenomen, zonder er overigens heel verdrietig om te zijn. Althans, ze herinnerde zich geen verdriet, alleen verbazing, en vervolgens die brandende nieuwsgierigheid. Steeds opnieuw had ze gevraagd waar ze dan precies gevonden was.

Ze vermoedde dat het ergens in Het Gooi was geweest, omdat haar ouders daar waren opgegroeid en het de enige aanwijzing was die ze ooit had weten los te peuteren: 'o, ergens in het bos.' Maar welk bos dan? Bij de Lage Vuursche? Of bij het Tienhovens Kanaaltje? Want daar gingen ze op zondag na het bezoekje aan een van de oma's vaak wandelen en had ze onder de hoge beukenbomen het dikke, roodkleurige bladerentapijt gezien, waarin je gemakkelijk een korf of mand kon verstoppen. Maar nooit had haar vader de vindplaats verraden, want dan zou de grap geen grap meer zijn geweest.

Grappen en klappen, want 'voor de zwaarmoedigen is het altijd feest', zoals haar vader te pas en te onpas beweerde. Hij had 'losse handjes', zoals haar moeder dat noemde. Daarna altijd spijt, wat leidde tot verwoede pogingen om met een grap het leed te verzachten. Meestal door een situatie met een opmerking of soms alleen met een gek huppelpasje te ridiculiseren. Op de Agfa Super 8-filmpjes oefende hij al menige *silly walk*, lang voor *Monthy Python* er een hele uitzending aan wijdde. Haar vader was geestig en angstaanjagend, liefdevol en driftig. En haar herinneringen aan hem zweefden tussen deze uitersten in.

Na ruim een kwartier wachten was de pianist komen opdagen, waardoor het geschuifel en gekuch in de banken verstomde. Muziek, dacht men, eindelijk. Muziek kon rechtstreeks het hart binnenstromen, zodat de juiste stemming voor de gelegenheid gevonden kon worden, maar de ongeïnspireerde klanken die de pianist ten gehore bracht wisten helaas geen enkel hart te bereiken. Toen daarna de uitvaartonderneemster het woord nam om enkele 'huishoudelijke mededelingen' te doen werd zij door vijftig paar lege ogen aangestaard.

De dood is een vreemde voor ons geworden, dacht Ella, weinigen die er nog raad mee weten. Ook haar broer, die op montere toon zijn biografische schets begon voor te lezen, lukte het niet goed een snaar te raken: 'De mooie reizen die je maakte, de lange zomervakanties, de avonturen in het buitenland.' Steeds weer andere woorden kiezen voor hetzelfde tijdverdrijf ontlokt nog geen gevoelens aan het publiek. Maar de gasten luisterden beleefd naar de opsomming van mijlpalen, 'de schare kleinkinderen', het waren er welgeteld drie, 'het prachtige afscheidsfeest van je werk', waarbij onvermeld bleef dat haar vader toen zo driftig werd dat hij de achterruit van zijn auto verbrijzelde.

'Jullie vijftigjarig huwelijksfeest,' vervolgde Hans met nog meer warm optimisme in zijn stem. Maar toen aarzelde ook hij even, omdat hij zich waarschijnlijk de speech herinnerde waarmee hun vader zelfs zijn eigen sarcasme had weten te overtreffen.

'Het eh... prachtige feest op de tennisbaan, het schitterende weer, de geweldige geschenken.' Haar broer plukte de superlatieven uit de lucht om elke herinnering aan die speech te verdrijven.

Hoe graag willen we toch dat alles goed is, dacht Ella, terwijl ze een handvol pinda's naar binnen werkte. Hoe graag willen we toch dat alles goed komt. Maar waarom lukte dit dan zo zelden? Waarom gebeurde het zelfs niet op haar vaders uitvaart? Misschien omdat juist haar moeder nogal stuurs voor zich uit bleef kijken, haar hand zwaar leunend op haar stok. Pas toen Tobias schuchter naar voren liep en achter de katheder over zijn herinneringen aan opa begon te vertellen, ging er een zucht van verlichting door de zaal. De gasten waren dankbaar dat ze zijn verhaal naar gepast medeleven konden vertalen.

Toen Ella uiteindelijk zelf als laatste het woord nam, vertelde ze iets over haar vaders pogingen het leed te verzachten door er een grap van te maken. Humor als uiting van een gekweld hart, het was zijn manier om liefde te tonen. Ze beschreef de vermanende grijns die hij tot op het laatst was blijven trekken. Zelfs toen haar vader amper meer kon praten en voorbij de mogelijkheid van een grap was geraakt, trok hij zijn wenkbrauwen nog op, sperde zijn ogen wijd open en vertrok zijn mond tot die grijns, alsof hij hen met zijn mimiek nog aan het lachen probeerde te krijgen. Mark Twain moest zich wel hebben vergist toen hij schreef dat er in de hemel geen humor was, besloot ze, want als er een hemel was en als haar vader daar nu rondliep, dan wist ze zeker dat daar nu ook silly walks geoefend werden, omdat humor uiteindelijk een poging tot liefde en verzoening is.

45

Ze was naar de voorste bank teruggelopen om weer naast haar moeder te gaan zitten. Ze had haar moeders blik gezocht, alsof ze om goedkeuring vroeg, maar haar moeder had haar gezicht van haar afgewend en haar hand zo stevig om haar wandelstok geklemd, dat Ella het bloed uit haar vingers zag wegtrekken.

'Goed gedaan,' fluisterde Tobias in haar oor.

Ook Reindert reikte over Tobias heen om zijn hand even op haar been te leggen. Ze waren opgelucht dat ze dit onderdeel er redelijk vanaf had gebracht. En ook Ella dacht dat ze het ergste nu wel achter de rug zou hebben.

Ze miste hen. De enige twee aanknopingspunten van haar leven zaten verspreid over de wereld. De ene in Berlijn, de andere in Boston, en zij bevond zich in een verregende uithoek van de Morvan, op de vlucht voor haar vaders overlijden en alle noodlottige ontwikkelingen sindsdien.

Ella pakte haar telefoon uit haar tas en stuurde hen een WhatsAppberichtje: 'Nu in Avallon. Vreselijk slecht weer, maar verder een mooi stadje. Koning Arthur schijnt hier nog geweest te zijn. Hoe gaat het met jullie?' Drie kruisjes. Ze las het berichtje over en zuchtte. Onder het motto: beter iets dan niets. Toen betaalde ze voor haar lunch en liep naar buiten.

7

Mistsluiers gleden vanuit het dal omhoog. Ronde vestingtorens naast de hoge stadsmuren, schoorstenen waar rook uit kringelde; het beeld zou in een film over de Heilige Graal inderdaad niet misstaan hebben. Ella dook het dal van de Cousin in, passeerde een paar oude watermolens en reed vervolgens door donkere, uitgestrekte bossen in de richting van Saulieu. Vanaf daar zou de Via Agrippa haar rechtstreeks naar Autun voeren, waar ze voor twee nachten een kamer in een voormalig klooster net achter de kathedraal had geboekt.

De oude Romeinse weg leek haar een gepaste voorbereiding op een weerzien met het aquaduct uit haar jeugd. Bovendien gaf die weg haar de kans om in haar eigen tempo naar het zuiden te rijden. Ze had geen haast. Het ging haar meer om het reizen zelf, dan om zo snel mogelijk op de plaats van bestemming aan te komen. *In via in patria*, onderweg ben je thuis, ze hoopte vurig dat het waar was.

Ze reed door licht glooiende heuvels met drassige weides en gekortwiekte heggen. De beken en riviertjes, die vanuit de bergen kwamen aan stromen, stortten geel water over het land uit. Niets dan nattigheid, waar ze ook keek. In de zomer graasden hier witte charolaiskoeien, maar nu lagen er hele meren op de velden, die de oneindigheid van de hemel weerspiegelden. Het land leek overspoeld met de tranen die zij haar vader schuldig was gebleven.

De weg kronkelde verder langs de eindeloze afrastering van houten paaltjes met prikkeldraad, maar zonder vee erachter; de koeien stonden veilig en droog op stal. Ze duwden daar hun witte, wollige koppen nog eens tegen elkaar, briesten de warme stoom uit hun roze neuzen, snaaiden het hooi uit de bakken en stampten met hun warme lijven de stal tot kamertemperatuur.

Zij daarentegen reed in een oude Volvo waarvan de verwarming noch de ruitenwissers bijzonder goed werkten.

Boven de heuvels begon de lucht er opnieuw dreigend uit te zien. Ze graaide in het dashboardkastje en viste er een cd uit. Als er weer zo'n hoosbui zou losbarsten, zou ze moeten stoppen.

Voor vertrek had ze de auto laten keuren. Het hele ruitenwissermechaniek moest vervangen worden, had de man van de garage haar verteld, want de snelste stand werkte niet meer. Ach, laat maar zitten, had ze gezegd. Ze ging immers naar Zuid-Frankrijk. Wie had daar nu snelle ruitenwissers nodig? Dus daar reed ze, dwars door de Morvan, waar het, zoals iedereen wist, vrijwel altijd regende.

Het Franse platteland strekte zich voor haar uit in alle denkbare tinten grijs. Slechts hier en daar zweefde een verdwaald plukje groen van dennenbomen. Ze reed een dorpje binnen met een oude wasplaats, een kerk met een kerkhof, een paar stenen kruizen rezen hoog boven de muur uit. Lege waslijnen, een hond die in de modder rondscharrelde, een erf vol autowrakken, nog meer donkere bossen aan de horizon. 'It's lonely at the top,' zong Randy Newman, en in de Morvan, dacht Ella.

Elk dorp dat ze passeerde was vrijwel gelijk aan het vorige, met dit verschil dat het kerkhof ofwel pal tegenover de kerk of net buiten het dorp lag. Er waren oneindig meer dode dan levende zielen in de Morvan.

Na afloop van de dienst werden in het zaaltje ernaast de glazen gretig van de bladen gepakt. Oom Gijs, de vijf jaar oudere broer van haar vader, prees uitbundig de jenever.

'Goed spul, Ella. Elke dag een borrel of vijf, dan blijf je gezond van geest en lijf.'

Haar nicht trok een sceptisch gezicht. 'Meestal zijn het er meer, pa. Zeker het dubbele, zou ik denken.'

'Dat mag zo wezen,' grijnsde hij, 'maar dan rijmt het niet.' Diezelfde blik als haar vader.

'Geen land mee te bezeilen,' verzuchtte haar nicht. Ze bedoelde het als troost. Jouw vader is dood, maar de mijne is alcoholist. Het geroezemoes om hen heen nam toe. De gasten vonden dankzij de drank hun tong weer terug, dit wonderbaarlijke voertuig van klank, ritme en medemenselijkheid. Ze begonnen elkaar anekdotes te vertellen, hier en daar werd zelfs gelachen.

Ella omhelsde een tante, begroette een kennis, en hield ondertussen haar moeder in de gaten. Behalve verdrietig zag ze er verslagen uit. Tien jaar had ze werkelijk alles gedaan om de ziekte van haar man de baas te worden, maar ze had de strijd in haar eentje niet kunnen winnen. Ella's vader was tijdens het hele gevecht op de reservebank blijven zitten; hij had weliswaar zijn pillen ingenomen, maar zich verder doof gehouden voor alle adviezen en raadgevingen: 'Bewegen, Johan, je moet bewegen!'

Tot haar verbazing zag Ella Max Simons staan, half achter een palmplant verscholen, een glas witte wijn in zijn hand. Zodra hun blikken elkaar kruisten kwam hij naar haar toe gelopen, op die voor hem zo kenmerkende manier, de borst licht vooruit, de benen losjes drentelend, zoals de zwerver in de films van Charlie Chaplin. Een jaar of tien geleden was ze tot over haar oren verliefd geworden op deze schilder, die uiterlijk veel op haar Franse jeugdliefde leek, maar helaas niet in trouw en oprechtheid. Max legde een hand vol medeleven op haar arm, terwijl zijn ogen kansen en verwijten inschatten. Hij had het in de krant gelezen en was maar even langsgekomen.

Gelukkig gaf haar moeder op dat moment met haar stok het signaal dat de receptie moest worden opgebroken, omdat de naaste familie zich naar een andere plek in Haarlem moest begeven; daar zou in besloten kring de crematieplechtigheid plaatsvinden. Deze complexe gang van zaken kwam Ella nu goed uit. Ze mompelde haastig een groet ten afscheid en voegde zich bij Reindert en Tobias om achter de rouwauto aan te rijden.

Daar voltrok zich het tweede bedrijf van de uitvaart. In de kleine kapel zaten ze met een man of vijftien rond de kist, om de laatste minuten van haar vaders lichaam richting de oneindigheid te begeleiden. Pas bij het tweede muziekstuk van Bach, *Können Tränen meiner Wangen*, voelde Ella voor het eerst die middag iets als verdriet opkomen.

Het was het moment, het was de muziek, het waren de woorden en de stem van Kathleen Ferrier, waardoor ze in de hand van Tobias kneep en de kreet probeerde te smoren die vanuit haar middenrif een weg naar buiten zocht. Er ontsnapte haar een half onderdrukte snik, nauwelijks hoorbaar, maar genoeg om haar moeder op het bankje voor haar onrustig heen en weer te doen schuiven. Ze begon dwars door het *'So nehmt mein Herz hinein'* tegen haar broer te praten.

'Dit is niet de goede muziek,' zei haar moeder.

'Jawel, ma, dit is toch die zangeres, kom, hoe heet ze...' Haar broer wierp een vragende blik op zijn vriendin naast hem.

'Kathleen Ferrier,' fluisterde Frieda.

Haar moeder hield echter voet bij stuk. 'Nee, dit is niet de goede muziek,' zei ze. 'Ik weet toch zeker zelf het beste welke muziek ik heb uitgekozen!' Boos stond ze op en verliet de kapel om op zoek te gaan naar de kluns die het had gepresteerd de verkeerde muziek af te spelen, haar stok luid tikkend op de stenen vloertegels. Ontreddering bij de familie. Wat nu? Blijven zitten, opstaan? Niemand die begreep wat er aan de hand was. Kathleens stem werd onderbroken door geschuifel van stoelen en gefluisterde kreten van verbazing. In verwarring liep men achter Ella's moeder aan naar buiten.

Ella wachtte tot iedereen weg was en liep naar de kist met haar vaders foto erop. Ze wilde nog iets zeggen om dit laatste moment nog enige allure te geven, een grap desnoods, maar ze wist helemaal niets te verzinnen. God heeft genoeg van ons, dacht ze, terwijl ze op loodzware benen naar buiten liep. Het lichaam van haar vader bleef alleen achter in de kist, bedolven onder de bloemstukken.

Voor de kapel was het gezelschap als een zwerm kraaien uiteengestoven. Ella leunde tegen het gebouwtje aan de overkant en keek naar haar familie, die zich in een staat van chaos bevond; alles en iedereen leek uiteen te vallen, als zwarte brokstukken slingerden ze her en der over het witte grind. Tobias was van de kapel weggelopen en stond van een afstandje toe te kijken. Haar broer stond woedend van schaamte de kiezels onder zijn schoenen te vermorzelen, haar schoonzus was de enige die nog tot helder nadenken in staat was en kwam met het papiertje aanzetten waarop Ella's moeder de muziek had geschreven. Het was wel het goede lied geweest, niemand had een fout gemaakt. Het was de wanhoop die de regie had overgenomen.

Ella keek ingespannen door de voorruit, waar de wissers de hoeveelheid regenwater amper konden wegwerken. Nergens een mens op straat. *'Everyone is gone away,'* zong Newman en niemand die dat kon betwisten.

De weg werd smaller en de heuvels kropen dichterbij, ze sloten het landschap om haar heen af. Ze moest steeds langzamer rijden en kneep met beide handen in het stuur. Hoe vaak ze die laatste scène van de dienst ook in haar hoofd had afgespeeld, ze begreep nog altijd niet wat er was gebeurd. Ze kon zich maar niet aan de indruk onttrekken dat het behalve de wanhoop en ontreddering ook die rare snik van haarzelf was geweest, die haar moeder de kapel uit had gejaagd.

Het werd zo donker dat Ella het grote licht aanzette, de weg maakte een scherpe bocht naar rechts. Hoge bermen aan weerszijden, die elk uitzicht belemmerden. De regen kletterde op het dak en het was alsof ze door een wasstraat reed, die maar bakken met water op haar voorruit bleef smijten. Alleen de schurende borstels ontbraken. Ella kon nog amper een meter voor zich zien en schoof nog meer naar voren op haar stoel. Maar er schuurde wel iets en ook klauwde er iets naar haar hart. '*No one came to cry, old man. Goodbye old man, goodbye.*'

De dood was het absolute verdwijnpunt, dacht ze, niets denkbaars of zegbaars ging erachter schuil, niemand die het kon navertellen. Gedurende heel het leven stevenen we op iets af wat ons voorstellingsvermogen te buiten gaat. Misschien dat het missen van haar vaders overlijden die onvoorstelbaarheid nog eens had vergroot.

Het schijnsel van de koplampen gleed over twee paarden die in een modderpoel aan het hek stonden, hun kont naar de wind gekeerd. Waarom lieten ze die dieren buiten staan? Ze kneep nog harder in het stuur. Er dreigde een ware zondvloed en zij ging doodleuk op vakantie.

Ze reed een dorpje binnen, Bard-le-Régulier. Misschien was er daar wel een café, waar ze even kon pauzeren. Ze sloeg een weggetje naar links in, dat na een paar huizen met gesloten luiken omhoogliep. Nergens een café te bekennen. Ze kwam bij een geasfalteerd pad, dat recht- streeks naar de kerk leidde. *St Jean le Baptiste, fin 11ième siècle* stond er op het houten bordje naast de ingang.

Ze zette de motor uit en merkte dat haar handen tril- den. Een sober voorportaal met twee Korinthische zuilen, erboven een hoog raam. Links een kerkhof met ijzeren kruisen en plastic bloemen die bloeiden tot in de eeuwig- heid. Rechts de pastorie, die nu dienstdeed als gemeente- huis, een rafelige Franse vlag naast de ingang. Boven het dak van de kerk verrees een achthoekige klokkentoren met een dubbele rij boogvensters en een leistenen hoedje erop.

Ella reikte naar achteren, waar een boodschappentas met een fles water stond, maar in plaats van het water pakte ze de fles witte wijn eruit. Ze draaide de schroefdop los en schonk een plastic bekertje vol. Toen draaide ze het raampje een beetje open en stak een sigaret op. Ze staar- de naar de kerk, die al negenhonderd winters door regen, sneeuw en ijzel werd gegeseld, maar nog altijd fier over- eind het aardse en het onaardse trachtte te verbinden.

'Wanneer houdt het hier eens op met regenen?' vroeg El- la hardop, maar de kerk moest haar het antwoord schul- dig blijven. Het waren maar stenen, een kleine duizend jaar geleden nog met veel geloof, hoop en liefde opeenge- stapeld. Tienduizenden monniken en pelgrims waren er- aan voorbijgetrokken, op weg naar de abdijen van Avallon en Vézelay, op de voet gevolgd door markt- en kooplui die ook een centje aan het geloof wilden verdienen.

Ella dronk van haar wijn en moest aan Maria van Bour- gondië denken, ooit ook de baas van deze kerk. Tijdens haar studie had ze een werkstuk over haar geschreven. Ka- rel de Stoute, haar oorlogszuchtige vader, had de regio met veel geweld ingenomen. De religieuze Maria wilde alles anders doen, maar viel, zwanger van haar derde kind en amper vierentwintig jaar oud, van haar paard, alle gebeden- en getijdenboeken ten spijt.

Naast de kerk sprong een lantarenpaal aan. De lichtbundel gleed over de motorkap van haar auto. Meteen daarna gevolgd door een luide, galmende slag van de kerkklok. Het was halfzes. Achter het venster brandde een vaal licht. Misschien was de kerk wel open. Ze stapte uit de auto en liep naar de ingang. Na enig wrikken lukte het haar de zware, met roestige nagels bespijkerde deur te openen.

8

Binnen leek het kerkje op een vroege Karolingische cryp-
te; geen versieringen aan de zuilen en kale, ronde bogen
van het witgepleisterde middenschip. De vloer was in-
gelegd met roodkleurige tegels, hier en daar bedekt met
groene lagen mos. Het was er ijzig koud. Ella knoopte haar
jas tot boven dicht en liep naar een graftombe links van
het doopvont. Daar lag de ridder 'Johan, sire de Brazey en
Morvan' in een geplooid stenen gewaad, zijn handen gevouwen op zijn borst, zijn hond aan zijn voeten. Op de
rand van de grafsteen stond een dreigende begroeting gebeiteld: 'Jij die naar me kijkt, ik was die jij bent, en jij zult
zijn wie ik ben. Bid voor mij.' Ernaast stond de sterfdatum
gebeiteld: 3 of 8 september 1305, het eerste cijfer was niet
goed te lezen.

Ella huiverde en sloeg haar armen voor haar borst. Dezelfde naam en misschien ook dezelfde sterfdag als haar
vader. Toeval, dacht ze, en liep de kerk verder in, naar de
gotische koorbanken. Toeval was Gods manier om ano-
niem te blijven. Van wie was die uitspraak ook alweer?
Op een van de zijpanelen stond Maria nogal sceptisch naar
het nieuwtje van aartsengel Gabriël te luisteren, ze hief
zelfs haar linkerhand wat afwerend naar hem op. Op de
twee andere panelen dronk Johannes zijn gifbeker vol vertrouwen leeg en stond hij al even onbewogen in een ketel
met kokende olie, terwijl een monnik er nog een schepje
bovenop deed.

Ze ging in de koorbank zitten en keek naar het bewerkte hout dat een zachte, okergele gloed uitstraalde. Op de arm- en rugleuningen waren fabeldieren en volkse lieden afgebeeld, een doedelzakspeler en een vrouwelijke acrobate. Begin veertiende-eeuws, schatte ze het houtsnijwerk, maar ze kon er een halve eeuw naast zitten. Boerse anekdotiek naast Bijbelse voorstellingen, zoals Maria die net bevallen is en er voor de verandering ook eens zo bij ligt: haar ene hand steunend onder haar hoofd, de andere rustend op haar lege buik, alsof ze de herinnering aan het kind in haar nog iets langer wilde vasthouden. Vertrouwde, levensechte verhalen, waarmee de houtbewerkers het sacrale midden op aarde lieten landen, in de zoekende ogen en stamelende handen van het volk.

Ze dacht aan de lezing van de Franse filosofe in de Sainte-Chapelle. Ze had over Teresa d'Ávila gesproken, een zestiende-eeuwse Spaanse mystica die de gemeenschappelijke wortels van religie en kunst had benadrukt. Hun waarheid school in het uitzonderlijke, in de extase, in de vonk sacrale oneindigheid die we in ons dragen en die zich alleen met aandacht, liefde en hard werken – *obras obras obras* – aan ons zou openbaren. 'We mogen onze joods-christelijke tradities niet vergeten,' zei ze, 'anders kunnen we onze verbondenheid met anderen niet begrijpen.' Een argument dat Ella de laatste tijd juist ook door politici had horen verkondigen die weinig brood in die verbondenheid zagen.

Zelf was Ella rond haar tiende jaar tot de conclusie gekomen dat degene aan wie ze de zorg voor haar broer, haar ouders en haar duiven had toevertrouwd een verzinsel was. Van de ene op de andere dag was God als een sneeuwpop voor haar ogen gesmolten. Hij had niet meer dan een modderplas, een rimpelige wortel en een paar oude knopen als herinnering achtergelaten.

Daar lag dan haar God, in een vieze plas water. Ze had zich er schuldig over gevoeld, omdat diezelfde God haar een paar maanden daarvoor nog iets bijzonders had laten beleven. Hij had haar op een nacht toen ze niet kon slapen uit bed opgetild en meegevoerd naar een plek waar het licht en warm was en de lucht als het donzige pluis van haar duiven had gevoeld. Ze werd opgenomen in iets zo groots en omvangrijks dat het alleen maar het Alles kon zijn. Ineens had ze precies geweten hoe de wereld in elkaar stak; een paar minuten lang had ze het gevoel dat ze alles wist en overal deel van uitmaakte.

Ongetwijfeld waren de godsdienstlessen op school hierop van invloed geweest. Als kind was ze enorm gefascineerd door de alwetendheid en alomtegenwoordigheid van God, zoiets had ze nog nooit gehoord. Hoe was het mogelijk dat iemand overal tegelijk kon zijn? Toen ze haar vader de kwestie voorlegde, kwam hij met een van zijn vele Sam-en-Moos-grappen aanzetten. Moos had in de klas te horen gekregen dat God alomtegenwoordig was. Je kon het zo gek niet verzinnen of God was daar ook. Moos had zijn vinger opgestoken: 'Dus ook in onze tuin?' Waarop de leraar antwoordde: 'Maar natuurlijk, Moos. Hoe kun je zoiets vragen? Natuurlijk is God ook in jullie tuin.' Waarna Moos zei: 'Maar we hebben helemaal geen tuin!'

Nog zag ze het grijnzende gezicht van haar vader voor zich. God was een tijdlang het beste verhaal geweest dat Ella kende, net zoals haar vader voor haar jarenlang de meest geweldige man op aarde was. Gods plotselinge verdwijning was een grote schok voor haar geweest, ook al had hij dan nooit veel teruggezegd. Pas later werd haar op school verteld dat God niet terug kon spreken, omdat hij zich buiten de tijd ophield en 'geen eerder of later' kende. Een zin uitspreken vereiste nu eenmaal een zeker chronologisch verloop, wat lastig was als je in de eeuwigheid woonde. Nog veel later was haar verlies in hoon omgeslagen. Met hoeveel schaterend genoegen had ze Nietzsche niet gelezen. Ze had zich op de kunst en de liefde gestort, de twee ervaringen bij uitstek die haar ziel wisten te raken. Ze had geen God meer nodig om de waarheid op het spoor te komen of de schoonheid te leren kennen.

Ella liep naar het voorpaneel, waar twee engelen de ziel opvingen van een stervende Johannes in zijn kuil. Om hem heen stonden een groepje mannen en een vrouw toe te kijken, nieuwsgierig of zijn dood zich dan toch eindelijk zou voltrekken. Maar misschien ook niet, want die vrouw zou wel eens Diasiana kunnen zijn, die volgens de legende de apostel alsnog tot leven gewekt zou hebben. Draaiden uiteindelijk niet alle religies uit op een bezwering van de dood? Hoe het Niets zo om te denken dat er geen gevaar meer in school maar het een aantrekkelijk vooruitzicht werd.

Langs de kerkmuren kroop de schimmel in groene en bruine vlekken omhoog; het plafond was een woestenij van afbladderende verf. 'Alleen het onpersoonlijke is het heilige,' meende Teresa d'Ávila. Ella keek om zich heen. Het sacrale vonkje dat God, toen hij de wereld schiep, als een handdruk in de mensen had achtergelaten, werd alleen voelbaar als ze hun persoonlijke ik wisten te overstijgen door hun aandacht op iets buiten hen te richten. Bidden was niets anders dan heel aandachtig kijken.

'Ja, natuurlijk, het onpersoonlijke,' zei ze hardop in de stille kerk. Alsof het nog niet onpersoonlijk genoeg om haar heen was geworden. God dood, vader dood, en zij reed in haar eentje dwars door Frankrijk op zoek naar afstand, naar inspiratie, naar mogelijke verre familieleden, oude liefdes en wat al niet meer, maar ze moest zich dus eigenlijk nog meer op het onpersoonlijke richten. Dat klonk als bungeejumpen in de leegte van haar eigen ziel. Voorlopig hield ze het liever op: 'Mijn God, waarom heeft u mij verlaten?', wat haar betrof de eerste en laatste woorden van de christelijke waarheid.

In de zijbeuk van de kerk bleef ze voor een marmeren beeld van Johannes staan. Er stond een rek afgebrande kaarsjes voor. Ze overwoog een kaars voor haar vader aan te steken, Johannes was per slot van rekening zijn doopnaam geweest.

Een paar maanden voor zijn dood was haar vader weer in God gaan geloven. Toen ze daar een beetje lacherig op reageerde, vroeg hij waarom ze lachte. 'Je hebt het geloof toch je hele leven bekritiseerd?' zei ze. Hij had verbaasd zijn hoofd geschud. 'Hoe kom je daar nu bij?' Hij maakte geen grap en was volkomen ernstig geweest. Haar vader was in het aangezicht van de dood zijn levenslange scepsis over God, de kerk en het christendom op slag vergeten.

Ella wierp een paar muntjes in het metalen bakje, pakte een kaars uit het rek en hield haar aansteker tegen de koude, vochtige pit. Toen de kaars eindelijk brandde, zette ze hem met trillende hand terug in het rek.

'Dag pa,' mompelde ze. 'Het is eh... allemaal niet zo gladjes verlopen sinds je overlijden... Hoop gedoe, zal ik maar zeggen. Het heeft nogal wat losgemaakt bij iedereen, maar... het komt allemaal goed, dat beloof ik. Maak je geen zorgen.'

Op dat moment begonnen de kerkklokken boven haar hoofd te slaan, alsof ze een einde aan de gênante vertoning wilden maken. Oorverdovend kabaal, waar niet langer tegenin te praten viel. Gelukkig maar. Want anders had ze nog eerlijk moeten worden en op z'n minst de waarheid moeten vertellen en moeten zeggen dat het heel onzeker was of het allemaal nog wel goed zou komen, omdat er sinds zijn dood een fikse brand was uitgebroken. Niet in het vagevuur, maar gewoon thuis, binnen de familie.

Béng: de vierde slag van de klok galmde door het kerk-je. Ze draaide zich weg van de nis met die ene, brandende kaars en liep door de donkere zijbeuk naar de uitgang waar ridder Johan zijn roes lag uit te slapen. De brandende kaars wierp een flakkerende schaduw op de bemoste tegels voor haar. Op de vijfde slag hield Ella geschrokken haar pas in. Ze zag aan het einde van de zijbeuk iets bewegen. Stond er iemand naast het graf van de ridder of was het alleen maar de schaduw van de pilaar?

Ze tuurde ingespannen naar voren. De laatste, zesde slag dreunde door de kerk. Daarna werd het stil. Ze besloot het erop te wagen en liep vlak voor het graf langs naar de deur in het voorportaal. Geen mens te zien natuurlijk. Toen bleef haar voet achter een scheefliggende steen haken, en viel ze voorover op de klamme vloer. Haar handen schuurden over de tegels, haar knie stootte tegen een richel. Een paar seconden bleef ze verdwaasd liggen, totdat de kou van de stenen in haar lichaam trok en ze weer overeind krabbelde. Na een laatste blik op ridder Johan hinkte Ella naar de deur en liep naar buiten.

Tegenover de kerk zag ze Venus aan de opgeklaarde avondhemel staan. Onder de lantarenpaal inspecteerde ze haar handen, de rechter was wat groen uitgeslagen van het mos, op de palm van haar linkerhand zat een kleine schaafwond. Ze startte de auto en reed met één hand aan het stuur achteruit het weggetje van de kerk af.

II

Onderweg

I

Zo onopvallend mogelijk sluipen we van het terras weg. Rond een draagbaar televisietoestel zitten de campinggasten naar het wereldkampioenschap voetbal te kijken. De Fransen zijn voor Italië, de Nederlanders weten het niet goed en joelen bij de gemiste strafschop van Cabrini. Helemaal achteraan zit een Duits echtpaar dat zwijgend toekijkt, een glas bier en een verrekijker bij de hand.

Als we halverwege het veldje en uit het zicht van mijn broer zijn, draaien we ons om en rennen naar de manege. Iedere middag neemt Marc toeristen op sleeptouw die vaak voor het eerst op een paard zitten. Hun tocht gaat steevast via de heuvelrug naar de oevers van de Gard. Ik hang 's middags over het hek van de buitenpiste of help met het verzorgen van de paarden. Al twee keer mocht ik gratis mee met zo'n *promenade en groupe*, maar vanavond gaan we samen op pad. We duwen de klink van de houten poort omhoog en glippen naar binnen.

De geur van hooi en paardenvijgen dampt ons tegemoet, de paarden trappen nerveus met hun hoeven tegen de boxen. Ik heb instructies gekregen om in de buurt van mijn broer te blijven, maar die heeft, zolang er voetbal op tv is, toch niets in de gaten. Marc reikt me een hoofdstel aan. 'Voor Atlas,' zegt hij, en knikt naar het zwarte paard waarop ik al eerder gereden heb. Er is niet veel tijd. Over een uur zal José, de Spaanse uitbater van Le Saloon, die privéritjes op zijn paarden verboden heeft, het café en de manege gaan afsluiten.

We leiden de paarden naar de overkant van de weg. Ik klim op de rug van het paard en volg Marc, die stapvoets op Feykir, een jonge Arabische schimmel, het pad omhoog insteekt. Boven ons staat een eivormige maan aan de hemel, naast het pad schiet er om de haverklap een hagedis of slang in de struiken weg. Atlas trekt schichtig met zijn hoofd. Als we het kreupelhout achter ons laten en in het bos aankomen, wordt het pad breder en beginnen we te draven.

Het geluid van de paardenhoeven wordt gedempt door een tapijt van dennennaalden. De harsgeur vermengt zich met de droge lucht van zand en stof. We draven door en het lukt me goed om in de vloeiende beweging van de draf te blijven. Door de bomen heen vang ik af en toe een glimp op van de rivier. Het bos ademt diep, als een slapend kind, het lijkt steeds stiller om ons heen te worden. We nemen een smal zijpaadje dat naar het kiezelstrand aan de linkeroever leidt. Ik kijk naar Marc en zie hoe hij Feykir behendig over het kronkelende pad leidt.

'Ça va?'

O ja, het gaat goed. Zodra we beneden bij de oever aankomen schiet Marc weg in galop. Atlas volgt hem op de voet en ik buig me nog dieper voorover, mijn neus tegen de stroeve manen van het paard dat met ratelende hoeven over de kiezels snelt. Er liggen grote keien en boomstammen op het kiezelstrand, maar Atlas springt feilloos over alle obstakels heen. Een flauwe, naar mos en varens geurende bries stroomt in mijn gezicht. Bij een volgende sprong vlieg ik zo hoog uit het zadel dat ik even roerloos boven de rug van het paard blijf hangen, voordat ik weer veilig terugval.

De rivierbedding verbreedt zich, de oevers wijken uiteen en het landschap opent zich op het breedste punt van de rivier als een lichtgrijze waaier onder de nachtelijke hemel. Ik probeer me aan het ritme van de galop over te geven. Vanaf dat moment lijkt de afstand tussen mij en Atlas steeds kleiner te worden, totdat we vrijwel ongescheiden over het strand voortvliegen, half mens, half paard. Ik voel geen angst meer, geen enkel voorbehoud. Er is alleen nog maar nacht en donker kloppend leven, de geur van de rivier, modderig en brak.

We stijgen boven de glinsterende rivier uit, de donkere bergen aan de overkant tegemoet, en komen in een vroeger van vele honderden jaren geleden terecht. Bij een ridder die in allerijl een boodschap aan de koning moet brengen, een struikrover die de achtervolging van de postkoets inzet. Er is geen jaar, geen dag, geen uur. Mijn lichaam gaat al eeuwenlang te paard, het kent het kunstje onderhand en vertelt me van mijn vorige levens: hoe ik voortdraafde als amazone, als bode, als geschaakte jonkvrouw. Ik ben duizenden jaren geleden geboren.

Het strand wordt smaller, de kiezels maken plaats voor rotsplateaus, met scheve, opstaande randen. We vertragen tot draf – *klik klak klik* slaan de hoeven op de rotsen – en dan doemt net voorbij de bocht in de rivier de brug voor ons op, met zijn blanke bogen trillend in het maanlicht; een roomkleurige keizer, die ons verdere voortgang verbiedt en rechts het pad omhoog in maant.

Atlas kent de weg en stapt behoedzaam over de stenen en boomwortels heen. Ik laat de teugels een beetje vieren en we klauteren langzaam omhoog. Ik rust uit op de brede, zacht deinende rug van het paard. Voor we het weten zijn we alweer boven. Het pad wordt daar breder en ik spoor Atlas aan tot draf.

Het gaat nog beter dan op de heenweg. We worden geleid door eenzelfde gevoel, zo lijkt het wel, we staan in hetzelfde teken, het paard en ik, en zo draven we voort over het door de maan belichte bospad. Ik raak overmoedig en spoor Atlas aan tot galop. Achter mij hoor ik Marc 'rustig aan!' roepen. Dan de flauwe bocht in het pad naar links en de laaghangende tak die ik net te laat opmerk, gevolgd door de felle pijnscheut in mijn oog als de tak in mijn gezicht slaat.

Ik trek aan de teugels, roep 'ho' en 'stop'. De pijn verbreidt zich naar de linkerkant van mijn gezicht. Ik durf mijn ogen niet meer open te doen en maan Atlas vergeefs tot stoppen. Marc komt naast ons rijden en brengt ons beiden tot stilstand. 'Een tak,' zeg ik, terwijl de tranen over mijn wangen stromen en de pijn zich vanuit mijn oog tot diep in mijn voorhoofd brandt.

Marc pakt de teugels van beide paarden en helpt mij af te stijgen. Hij kijkt naar mijn oog. 'Kom,' zegt hij, 'we gaan even zitten.'

Zo zitten we daar in de windstille nacht, terwijl de paarden de bladeren van de bomen eten. Ik voel het gras in mijn blote benen prikken, de aarde ruikt dorstig en droog. Marc slaat zijn arm om me heen en duwt me zachtjes naar achteren. Ik hef mijn gezicht naar de jongen op wie ik al twee zomers verliefd ben. Hij begint me te kussen, en dan voel ik voor het eerst met één oog open en één oog dicht een tong op mijn mond, die aarzelend zijn weg naar binnen zoekt. Hij geeft tintelende signalen aan mijn keel, mijn buik, zelfs aan mijn voeten en ik ben de pijn op slag vergeten. Dit zoenen moet wel een Franse uitvinding zijn, denk ik, want zoiets heb ik in Haarlem nog nooit meegemaakt.

Als we even later bij de weg aankomen, zien we vanuit de verte licht branden in de manege. José staat voor de poort van de paardenstal. Hij houdt zijn beide armen voor zijn borst gevouwen en heft zijn kin dreigend naar ons omhoog. Marc neemt de teugels van mij over en zegt dat ik af moet stappen en naar de camping terug moet lopen.

Op het terras zie ik mijn ouders bij het tafeltje van mijn broer staan. Mijn moeder staat druk met hem te praten, maar Hans haalt verveeld zijn schouders op, schudt zijn hoofd en wijst in de richting van de camping. Ik glip snel voorbij het terras en hol naar onze tent. Als mijn ouders er even later aankomen, knip ik mijn zaklantaarn aan en schijn op het tentdoek.

'Ella?' vraagt mijn vader.

'Ja?'

'Licht uit en slapen.'

De volgende ochtend vraagt mijn moeder aan de ontbijttafel wat ik 'in vredesnaam' aan mijn oog heb. Mijn vader en broer praten over de finale en hoe geweldig het is dat die Duitsers alsnog op hun donder hebben gekregen. Mijn moeder werpt me een argwanende blik toe.

'Hoe vaak moet ik nog zeggen dat je niet in je ogen moet wrijven?'

Ik kijk naar de metalen emmer met pindakaas die midden op de campingtafel staat, en naar de pot jam en de stukken stokbrood eromheen. Halverwege de vakantie is de pindakaas een harde bonk vet geworden, maar mijn moeder zeult toch ieder jaar weer een emmertje mee.

Een wesp daast om de broodkorsten en de plastic mokken met zoete thee. Ik verzin de zoveelste leugen van de zomer.

2

Die ochtend werd Ella wakker naast verbleekte liefdespa-
ren in wisselende klederdracht en pastorale decors. Bij
aankomst in het verbouwde klooster in het centrum van
Autun had ze nauwelijks aandacht voor de inrichting van
de kamer gehad. Voor het eerst sinds lang was ze als een
blok in slaap gevallen. Nu, in het vale ochtendlicht, zag ze
dat het behang behoorlijk vergeeld was, alsof het nog uit
de tijd van de ursulinen zelf stamde, net als het smoeze-
lige tapijt op de vloer, dat ooit blauw moest zijn geweest,
maar nu vaalgrijs was en naar schimmel stonk.

Ze gooide de gordijnen en de ramen open. Haar kamer
lag op de eerste verdieping en keek uit over de met klimop
begroeide gevels van de binnentuin. Aan de zuidkant werd
de tuin omsloten door de Romeinse stadsmuur, boven het
dak van het klooster kon ze nog net een glimp van de torenspits van de St Lazaire opvangen.

Op het nachtkastje trilde haar telefoon.

'Boston blijft geweldig,' las ze het bericht van Tobias.
'Dit weekend met studenten naar Acadia National Park
geweest. Geen beren, wel veel rotsen. Met Bernt alles OK.
Schijnt de zon al in Frankrijk?'

Ze ontbeet in de voormalige refter, alleen tussen de rie-
ten manden met broodjes en croissants, en vroeg zich af
voor wie al dat brood bedoeld was. Ze stuurde Tobias een berichtje terug, stopte een paar gesmeerde broodjes in haar tas
en wandelde naar buiten.

68

De place du Terreau was zelfs onder het grauwe wolkendek nog opzienbarend. Links van haar rees de reusachtige kathedraal met de vlijmscherpe torenspits omhoog, vlak ernaast hurkte een bescheiden fontein in een nisje van pilaren, als David die een steen van de grond raapt. Zwermen stadsduiven erboven. Sommige fladderden nerveus op de rand van de fontein neer, andere stoven naar het dak van de kathedraal omhoog.

Alle straten van de oude stad kropen naar dit plein omhoog, rolden nog een paar meter verder over de natte keien en botsten vervolgens op de stadsmuren. Achter de kathedraal vormde zich een web van doodlopende stegen: de impasse de l'Évêque, de impasse Chaumont.

Ze liep een van de stegen in en keek naar de oude patriciërshuizen en voormalige priesterwoningen, met hun ingezakte daken, scheefhangende luiken, de ramen vol spinnenwebben. Alleen de robuuste omvang herinnerde nog aan hun roemrijke verleden.

Tussen de gevlochten bladeren van een verroest smeedijzeren hek waren de woorden 'Overwinnen of sterven' verwerkt; het was voor de bewoners het laatste geworden. Ze zag bemoste beelden en gebroken vazen op een met onkruid overwoekerd terras. Op het dak drie 'zittende honden' op een rij; achter de kleine dakkapellen hielden zich alleen nog vleermuizen schuil.

Ze vroeg zich af hoe het geweest zou zijn als ze niet in haar eentje, maar bijvoorbeeld met Tobias hier rondgelopen had. Ze miste zijn enthousiaste kreten, zijn droge, geestige commentaar op alles wat hij zag. Ze liep de steeg weer uit, en beklom de trappen van de kathedraal. In het midden van het timpaan stond een langgerekte Christus, omgeven door een eivormige schaal. Aan zijn rechterzijde werden de gelukzaligen naar het paradijs geleid, aan zijn linkerzijde werden de zielen van de twijfelgevallen weer eens gewikt en gewogen en probeerde de duivel op slinkse wijze de uitkomst nog te beïnvloeden.

Lange tijd was het timpaan dichtgepleisterd geweest, pas dankzij een bezoekje van Stendhal was het aan het einde van de achttiende eeuw weer tevoorschijn gekomen. Onderaan stond de vermoedelijke maker gebeiteld: *Gislebertus hoc facit*. In het museum aan de overkant behoorde zijn bas-reliëf van Eva tot de topstukken van de collectie. Ze liep naar de ingang, maar het museum was die dag gesloten. Dus wandelde ze verder de stad in, voorbij een paar dichte restaurants – 'We verwelkomen u graag weer met Pasen' – en een café, waar een groepje zwervers zat met die onrustig zoekende blik in hun ogen. Er lag een herdershond aan hun voeten, die zijn kop even naar haar oprichtte om hem vervolgens met een zucht weer op zijn poten neer te leggen.

In de boulangerie in de rue St Georges deelde de bakkersvrouw behalve brood ook een praatje aan de bejaarde buurtbewoners uit. Ze informeerde even belangstellend naar de nieuwe kleinkinderen als naar de nieuwe medicijnen.

'Vergeet ze vooral niet in te nemen,' zei ze, terwijl ze het halve stokbrood in een papiertje vouwde. De oudjes schuifelden knikkebollend de bakkerij weer uit, het boodschappentasje met de halve baguette in de ene, de wandelstok in de andere hand. Misschien waren ze nog blij met elke minuut die ze in dit leven mochten doorbrengen. Misschien wachtten ze gelaten op de dag – was het volgend jaar, de volgende maand, morgen? – dat niet langer zij maar die grote onbekende door hun ogen naar buiten zou staren.

Ella kocht een *Jésuite* voor bij de koffie en wandelde verder langs een schooltje met schildersezels en een kantoorboekwinkel die wegens faillissement uitverkoop hield. Haar vader had op het laatst net zo geschuifeld als die oudjes, met zijn handen steun zoekend bij rugleuningen en tafelranden. Elke keer leek hij nog magerder te zijn geworden. Een mens kon blijkbaar heel veel vocht en spieren en vitaliteit verliezen, en toch nog de ogen opslaan. De ogen van haar vader waren geel geworden, starre gele puntjes, alsof ze versteend waren. Zijn handen waren bezaaid met vlekken. Ella vond ze nog altijd op Indische handen lijken, alsof niet zijn oudere broer maar hij vroeger door de rimboe van Sumatra had gedwaald.

Het begon weer te miezeren. De fijne regendruppels bleven als poeder op haar gezicht liggen. Halverwege de rue St Georges lag een wat sjofel uitziende theesalon. De leren bank had veren die dwars door de kussens heen staken, maar het was er tenminste warm en droog. Uit de speakers klonk pianomuziek. Ella keek naar de etalage van de kledingzaak aan de overkant. Naast het bordje met *soldes* stond een ontklede paspop met alleen een blauwe sjaal om haar nek. Ze vroeg zich af welke reclameslogan haar vader daarbij verzonnen zou hebben.

De vierde prelude van Chopin galmde door de theesalon, zijn mooiste, vond Ella. Bij de drie slotakkoorden moest ze zo diep zuchten dat de jongen achter de bar verwonderd naar haar opkeek.

Ze pakte de biografie van Julian Bell uit haar tas en begon te lezen. Maanden geleden had ze al beloofd er een recensie over te schrijven. In plaats van biografische mythes op te lepelen vertelde Bell, die zelf ook schilder was, het verhaal dat zich tussen hem en Van Gogh had afgespeeld. Je moet altijd een of ander 'tussen' opzoeken, dacht Ella, als je met een nieuw verhaal op de proppen wilt komen. En goed kijken, sprak ze zichzelf toe, door de grauwe waas van de schijn heen kijken. Doen alsof je voor de eerste keer ziet.

71

In de overdekte winkelpassage waar ze even later doorheen wandelde viel het licht in matte tinten door het glazen plafond en waaierde vervolgens gedempt uit over de plavuizen, alsof er een stolp over de tijd was gezet.

Het zou de schilder Balthus, naar wie de passage vernoemd was, zeker hebben bevallen. De winkelpassage kwam uit op het Champ-de-Mars, waar groepjes jongeren rondhingen die elkaar heimelijke blikken toewierpen. Kreten verwaaiden in de wind. Het snerpende geluid van opgevoerde brommers. Ze stak het plein over. Op de toonbank van een wafelkraam streken duiven neer, die door de bakker met een wapperende theedoek werden verjaagd.

In de verte zag Ella de Pierre de Couhard liggen. Niemand die wist of het een Romeinse graftombe of een tempel voor een Keltische druïde was. Ze vond de toren van gestapelde stenen er maar weinig Romeins uitzien en gaf de druïde het voordeel van de twijfel. Bovendien, dacht ze, waarom niet één gebouw aan de Keltische traditie toeschrijven? Duizenden jaren hadden ze hier gewoond, maar er was vrijwel niets van hun cultuur overgebleven. Hun goden en godinnen waren uit het christelijke bewustzijn verdreven en hun cultus van de natuur, van heilige bronnen en geneeskrachtige kruiden, was met wortel én maretak uitgeroeid.

In het grijze wolkendek hing hier en daar een dunne streep blauw als een vergeten verjaardagsslinger in de lucht. Weids uitzicht over de stad. Ze volgde het pad naar beneden langs de stadsmuren, stak de rivier de Arroux over en zag toen midden in een weiland de Romeinse tempel van Janus staan. Slechts één helft stond nog overeind, alsof juist Janus, de god met de twee gezichten – van einde en begin, verleden en toekomst – alsnog tot een keuze was gedwongen. Niet moeilijk om te raden welk gezicht er was overgebleven.

Tegenwoordig raasden ze maar voort, de dagen; ze draaiden tollend om hun as, zonder veel bakens van het verleden, als willoze bladeren in een herfststorm. Reikhalzend naar de toekomst gericht was de houding van de meeste mensen, alsof het enige heil nog in de vlucht voorwaarts school.

Ze wandelde door de stadspoort het centrum weer binnen. Zij moest ook eens wat vaker achterom leren kijken, zodat ze, net als Janus, beter kon voorzien wat haar te wachten stond. Rond het Champ-de-Mars lagen drie apotheken, die ongetwijfeld pleisters en een ontsmettingszalf voor de schaafwond op haar hand verkochten. De apothekeres gaf haar vanonder haar zwarte leesbril op strenge toon instructies: tweemaal daags spoelen en dan opnieuw verbinden.

Door de winkelstraat liep ze terug naar de place du Terreau, waar ze schuin achter de kathedraal het enige steegje in stak dat niet op de stadsmuren doodliep, maar er net voorlangs afboog. Daar, in de rue de Rivault, leek in geen driehonderd jaar een steen van zijn plaats te zijn gekomen. De tijd hing er ijl en ingetogen tussen de muren, als op een doek van Balthus.

3

Aan: Reindert Oudemans
Van: Ella Theisseling
Onderwerp: Autun

Lieve Reindert,

Gisteren ben ik in Autun aangekomen, vanmorgen heb ik de stad verkend, nu zit ik met een kop thee aan een wiebelend tafeltje voor mijn hoge kloosterraam. Na al die korte berichtjes van afgelopen week zal ik eens een wat langere brief schrijven. Ik hoop dat alles goed met je gaat en dat je houten installaties de regen hebben doorstaan. Ik zag dat het in Duitsland al net zulk slecht weer is als hier.

Vanuit mijn raam kan ik nog net de torenspits van de St Lazaire zien, die als een pijl door de wolken heen schiet, ongetwijfeld op zoek naar een flard hemelsblauw. Net als ik trouwens, want langzamerhand snak ik naar wat zon en een blauwere hemel boven mijn hoofd. Het blauw van Giotto's fresco van Lazarus bijvoorbeeld, in Assisi, weet je nog? Ik moest er vanmiddag aan denken, toen ik om de kathedraal heen liep. We sliepen ook toen in een klooster, van oudroze stenen, alles was zoveel warmer en zachter dan hier.

Lazarus achtervolgt me hier in de Bourgogne. Eerst de kerk in Avallon, en nu deze weer, pal om de hoek van mijn hotel. Elke keer als ik langsloop moet ik aan de dichtregel van Eliot denken: *'I am Lazarus, come from the death.'*

Ik las vanmiddag dat Van Gogh zijn Lazarus in het hospitaal van Saint-Paul-de-Mausole schilderde, op nog geen uurtje rijden van mijn camping in de Gard. Ken je dat werk? Bang voor de waanzin en de naderende dood liet hij zich door Rembrandt inspireren. Hij maakte van Maria een woeste bacchant die de lijkwade zo'n beetje van haar broers lichaam rukt. Aan het verdwaasde gezicht van Lazarus gaf hij zijn eigen rode baardje, dus eigenlijk is het ook een van zijn laatste zelfportretten.

Dood en leven, einde en begin, het een kan niet zonder het ander, maar ik worstel er vreselijk mee. Het is net alsof ik voor allebei terugdeins en daarom geen stap verder kom. Van Gogh probeerde de dood tenminste recht in het gezicht te kijken, vandaar ook zijn fascinatie voor Lazarus. Want die was er immers geweest, in het duistere rijk aan de overkant, en was met een glimp van het onvoorstelbare teruggekeerd.

'Dood, waar is uw prikkel?' Niet in het geloof, zoals Paulus wilde, maar op Van Goghs doeken, zou ik zeggen. Kraai boven korenveld, een gouden draaikolk van sterren tegen een inktzwarte nacht. Maar zelfs pa, zoals je weet zijn hele leven een sceptische atheïst, ging in het aangezicht van de dood weer in God geloven. Toen ik daar een keer iets over zei, reageerde hij heel verbaasd, hij maakte er zelfs geen grapje over.

Ik denk dat ik de afgelopen tijd vooral heb geprobeerd om langs de dood heen te kijken. Zelfs letterlijk. Toen mijn vader, vlak voor de dienst begon, in die open kist in het zijkamertje lag, kon ik mezelf er niet toe zetten ernaartoe te lopen en erin te kijken. Ik voelde zowel afschuw als weerzin, geen idee waarom.

Maar goed, om Lazarus kun je hier dus niet heen, zijn

overblijfselen zouden in de Bourgogne terecht zijn gekomen. Zowel Avallon als Autun claimde het bezit ervan. Relikwieën trokken pelgrims en bezoekers naar de stad en dat was precies wat Autun in de elfde eeuw nodig had; het waren Lazarus' botten die de stad van de ondergang redden. Maar dat was vroeger. Tegenwoordig maalt niemand daar meer om en loopt de stad op haar laatste benen.

En ik soms ook, moet ik je eerlijk bekennen. Er valt helaas nog weinig wederopstanding van deze kant te melden.

Het is eerder omgekeerd. Ik heb het gevoel dat ik nog veel meer met de dood moet meebuigen om hem onder ogen te kunnen zien. Soms heb ik de indruk dat mijn vader pas kan sterven als me dat gelukt is en ik eindelijk afscheid van hem genomen heb. Uitgerekend ik, zijn ongehoorzame dochter.

De eenzaamheid valt me ook zwaar. Alleen reizen heeft als voordeel dat je alles veel intenser beleeft, maar dat geldt helaas ook voor de moeilijke momenten. Alleen in een restaurant eten blijf ik bijvoorbeeld heel ingewikkeld vinden. Ik ben me dan pijnlijk bewust van mijn gebaren, zie die vork naar het bord gaan en weer terug naar mijn mond, of er soms net naast prikken, alsof ik zelfs de afstand tussen vork en mond niet meer goed kan inschatten.

Ik hoop dat het jou beter vergaat in Berlijn! Ik denk wel dat het goed is dat we deze periode ingelast hebben, want er moet iets doorbroken worden, bij mij althans. Ik ga morgen naar het museum en trek dan verder naar het zuiden. Ergens in de buurt van Cluny. Ik laat je nog wel weten waar. Ik mis je, en denk veel aan je, en aan ons, en hoe het nu verder moet.

Veel liefs, Ella

4

Ze had nog zeker twee uur voordat ze beneden kon gaan eten en dus opende Ella de fles wijn die ze bij de receptie had gekocht. De vorige avond waren er maar een paar andere gasten in de eetzaal geweest: een jong Frans stel en twee vertegenwoordigers, waarvan er een met een opvallend gedistingeerd baardje. Ze zaten verspreid in de hoeken van de refter te eten; er werd geen woord gewisseld.

Ze ging met een glas wijn op bed zitten en keek naar de vergeelde paren aan de muur. Behalve weemoed proefde ze ook iets bitters op haar tong.

Haar wereld had zich tot deze paar vierkante meter versmald; het leven geschiedde voortaan elders, in warmere oorden en in aangenamer gezelschap dan zijzelf. Wat er nog aan verlangen in haar zat, leek zich steeds dieper terug te trekken, rolde zich op als een slaperige kat die, ontdaan van honger of vechtlust, alleen af en toe nog een poot uitsloeg naar de duistere muizenissen van haar geest. Hopla, een haal naar haar moeder, die woedend de kapel uit loopt. Pets, een tik op de neus van haar vader, die zijn krant tot een prop kneedt, met die driftige uitdrukking op zijn gezicht.

Ze pakte haar schrift van tafel en bekeek de okergele voorkant, waarop ze 'Reisjournaal' had geschreven. Toen draaide ze het schrift om en schreef op de achterkant: 'Herinneringen'. Dat was wat ze vanmiddag in de tem-

pel van Janus had bedacht. Achterin zou ze haar herinneringen aan vroeger, aan de Gard en andere gebeurtenissen
uit haar jeugd opschrijven, en voorin zou ze verslag doen
van haar reis door het nu, wat ze zag, dacht en droomde,
als een reiziger die vertrek en aankomst, verleden en toekomst met elkaar probeert te verbinden.

Ergens in het midden zouden beide verhalen op elkaar
botsen. Op dat moment, hoopte Ella, zou er een stilte ontstaan, als de rust in het oog van de storm. Dan zou ze niet
langer door het verleden worden opgejaagd noch verlamd
worden door een angst voor de toekomst. Ze zou beide te-
genstrevers diep in de ogen durven kijken, zonder eraan
onderdoor te gaan. Tijd rijmen, daar was ze mee bezig.

Mooi plan, dacht Ella, terwijl ze haar glas nog eens vol-
schonk en herlas wat ze die middag had opgeschreven.
Even later hoorde ze gestommel op de gangen, lachende
stemmen en deuren die open- en dichtgingen; het leek wel
of het hele hotel ineens volstroomde. Ze werd rozig van
de wijn en ging even op bed liggen. Ze dommelde in, en
toen ze een half uurtje later wakker werd zag ze dansende
lichtvlekken boven haar hoofd en had ze nog een vaag besef van armen om haar heen, een duisternis die plotseling
verlicht werd. Maar de droom zelf was ze alweer vergeten.

Met haar rechterhand woelde ze door haar haar; haar
hoofd voelde als een speldenkussen. Haren mochten dan
net als nagels dood materiaal zijn, bij haar deed toch elke
lok pijn; het was slechts een van de vele vage klachten die
ze nog geen maand geleden aan haar huisarts had voorge-
legd.

'Misschien moet u het wat vaker los dragen?' Hij had het
met een professionele glimlach voorgesteld, alsof hij behalve arts ook kapper was.

'Ik heb ook last van eczeem op mijn handen,' vertelde

ze, terwijl ze haar rode handen liet zien. 'En bij de gering-
ste schrik krijg ik een soort kippenvel, dat pas na uren en
soms pas na dagen wegtrekt. Zou dat spasmodermie kunnen zijn?'

'Mmm,' zei haar huisarts, die gedurende het hele consult zijn blik op zijn computerscherm gericht hield en met
twee vingers typend al haar klachten invoerde. 'Merk-
waardig.'

'Ja, net als mijn suizende oren,' vertelde Ella, 'een suizen dat geregeld overgaat in een hoge pieptoon, die me behalve doof ook een beetje angstig maakt, omdat het dan
net lijkt of ik flauw ga vallen.' Ze hoopte maar dat het voldoende symptomen waren voor een consult en dat ze niet
zijn tijd zat te verdoen.

Haar huisarts onderbrak haar relaas met een handge-
baar, hij kon het amper meer bijbenen. 'Flauwvallen, zei
u?'

'Maar het raarste is dat ik een klik in mijn hals voel, telkens als ik iets wil doorslikken.'

Hij keek bevreemd op van zijn toetsenbord.

'Het is net alsof er een soort obstructie ter hoogte van
mijn strottenhoofd zit,' legde ze gewillig uit, 'een paar bot-
jes die blijkbaar niet soepel over elkaar heen willen schuiven en dan een raar sprongetje maken, of ergens tegenaan
botsten – klik – voordat ik de koffie of thee door kan slikken.'

Verwoed begon hij te typen.

'Het is niet zozeer pijnlijk,' stelde ze hem gerust, 'als
wel vervelend. 'Want ook als ik helemaal niets door hoef
te slikken, blijf ik het toch testen, totdat er zo'n grote prop
in mijn keel zit dat ik weer moet opstaan om een slok water te drinken en dan opnieuw met het haperen – klik –
wordt geconfronteerd.' Terwijl ze het vertelde, herinnerde
ze zich dat ze als kind ook een tijdje zo'n slikdwang had

79

gehad. Ze lag in bed en probeerde de hele tijd niet te slikken, maar dat lukte niet, omdat de prop in haar keel al zo groot was geworden dat ze er bijna in stikte, en hem wel door moest slikken.

'Ik kan er niet van slapen, begrijpt u?'

Haar huisarts keek op zijn horloge. 'Misschien is het goed als u voortaan een dubbele afspraak maakt.'

'O, het spijt me, ik...'

Verstoring van het sympathisch zenuwstelsel, veroorzaakt door emotionele overbelasting, luidde de diagnose; ze kreeg een recept voor slaappillen mee en het advies om het de komende tijd rustig aan te doen. Geen stressvolle ontmoetingen, minder werken, misschien wat valeriaan. Het zou goed zijn een afspraak met Paulien te maken, de psycholoog van de praktijk. Er was veel gebeurd het afgelopen jaar, ze moest zichzelf in acht nemen, even vrijaf nemen, contact met de familie vermijden.

Ella liep de badkamer in en begon voorzichtig haar haren te kammen. Toen nam ze een slokje water. Ze voelde geen klik. Ze realiseerde zich nu pas dat ze al een poosje bij het slikken geen klik meer had gevoeld. Ze waste haar gezicht en ging met haar boek op bed liggen. Maar in plaats van te lezen luisterde ze naar de zwaluwen die elkaar snerpend in de binnentuin van het klooster achternazaten; altijd ruziemaken, die kleine, zwarte scherpvliegers.

Haar telefoon begon te trillen. Ze viste hem uit haar tas en keek op het schermpje: 'Ma belt' stond er. Waarom belde haar moeder? Ze dronk haar glas wijn leeg en schonk het meteen weer vol. Ze bleef op bed liggen piekeren totdat de St Lazaire acht uur sloeg. Het was tijd om naar beneden te gaan.

5

Het boek over Van Gogh stevig onder haar arm geklemd, daalde Ella op enigszins wankele benen de treden naar de eetzaal af. Ze had een zwartfluwelen jurk aangetrokken en het enige paar pumps dat ze bij zich had. In plaats van de gonzende stilte van de vorige avond hoorde ze nu een luid geroezemoes. Nieuwsgierig keek ze de zaal in, waardoor de laatste trede aan haar aandacht ontsnapte en ze half struikelend de eetzaal bereikte.

Alle tafeltjes waren bezet met veel grijze heren en een enkele dame, die hun conversatie staakten om haar kant op te kijken. Ella liep zo elegant mogelijk naar haar tafeltje aan het raam, een tweede val wilde ze graag voorkomen. Het gekeuvel om haar heen werd hervat en ze belandde veilig bij haar tafeltje, dat bij nader inzien bezet bleek te zijn.

De vertegenwoordiger met het keurig geknipte baardje vloog overeind om haar stoel naar achteren te trekken.

'Het spijt me,' zei de man, 'er waren geen andere tafeltjes meer vrij.' Hij maakte een weids gebaar naar de zaal. 'Allemaal ingenomen door archeologen. Toen u er om acht uur nog niet was zette de ober mij hier maar neer. Ik zal u niet lang ophouden, ik heb mijn dorade al gekregen, het dessert kan ik overslaan.'

Ella nam de man voor zich iets beter op. Hij was niet onaantrekkelijk, met die grijsblauwe ogen, waar een ironisch glimlachje doorheen vonkte.

'Geeft niets,' zei ze, 'dat is wel zo eh...' Haar zin hing verloren in de lucht. Ze kon even niet op het Franse woord voor 'gezellig' komen. De man boog zich naar haar toe.

'*Amusant*,' zei ze ten slotte.

'Ah, *amusant*!' zei hij. 'Dat is het zeker. Staat u mij toe u een glas wijn aan te bieden, ter compensatie van het ongerief.'

Ik moet eerst iets eten, dacht Ella. Haar blik gleed over zijn bord met vis, de aardappelkroketjes en de met witte saus begoten bloemkool.

'Wit of rood? Ze hebben hier een voortreffelijke sancerre, die kan ik aanbevelen, zeker als u straks ook de dorade neemt.'

'Graag,' zei Ella, waarna de man zich naar de obers omdraaide, die achter in de zaal aan het bedienen waren. Zijn vingers trommelden ongeduldig op het witte tafellaken.

'Ik loop er even heen,' zei hij, 'dit duurt me te lang.'

Hij droeg een duur pak, olijfgroen, het zat hem als gegoten.

Ella staarde naar de drie kroketjes op zijn bord, en toen naar de man die achter in de zaal met de ober in gesprek was. Haar hand schoot naar voren en razendsnel propte ze een warm kroketje in haar mond. Daarna boog ze haar hoofd over haar boek, als een verslaafde intellectueel die nog geen minuut zonder geschreven tekst kan.

De man verscheen weer naast het tafeltje, met in zijn kielzog de ober die een dienblad met twee glazen witte wijn droeg.

'U wilt vast meteen bestellen,' zei hij, terwijl hij ging zitten. Hij wierp een blik op zijn bord. 'U zult wel trek hebben.'

De ober zette de glazen voor hen neer en keek Ella afwachtend aan. Het maakte haar niet uit, zolang het maar snel opgediend werd. 'Hetzelfde als meneer, graag.'

Haar tafelgenoot pakte zijn glas van tafel. 'Op de kennismaking!'

Ella hief haar glas omhoog, bracht het naar haar mond, maar in plaats van dat de wijn in haar mond belandde, tikte het glas tegen haar tanden aan.

'Neemt u me niet kwalijk,' zei de man tegenover haar, die deed alsof hij niets in de gaten had, 'maar ik heb me nog niet voorgesteld. Mijn naam is David d'Espinaz, ik kom uit Spanje, Avilla, waar ik een familiehotel run, maar ben daarnaast ook archeoloog en antiquair van oude manuscripten.'

Toe maar.

'Ella... Ella Theisseling uit Nederland, Amsterdam,' zei ze. 'Behalve kunsthistorica ook incidentele dief van aardappelkroketjes, als de nood erg hoog is.'

'*Santé*!'

De man schoof lachend zijn bord naar het midden van de tafel en begon de vis in parten te verdelen. 'Tast toe,' zei hij uitnodigend. 'Wat brengt u naar Autun, als ik vragen mag. Ik heb u toch niet gemist op het congres?'

Ella schudde haar hoofd, en prikte een stuk vis aan haar vork.

'De geachte collega's proberen te bewijzen dat Autun niet slechts een Gallo-Romeins verleden heeft, maar dat er ook Griekse invloeden zijn. Ze spreken daarom liever van een Grieks-Romeins verleden. Er zou hier zelfs een tempel van Apollo gestaan hebben.'

'Dus in plaats van de Kelten een plek in de geschiedenis te gunnen, worden het weer de Grieken,' zei Ella.

'O, de Kelten worden niet vergeten, maakt u zich geen zorgen, maar het gaat erom te begrijpen hoe het Romeinse rijk in feite al een hybride mix, of liever gezegd, een oecumene van verschillende leefstijlen, tradities, en cultu-

83

ren was. Onze neiging tot periodisering doet tekort aan die verbondenheid en daarom wordt dit idee nu losgelaten. Men denkt tegenwoordig liever in termen van vertaling van de ene traditie in de andere, als u begrijpt wat ik bedoel.'

'Mmm,' murmelde Ella met haar mond vol vis, 'maar sommige tradities raken wel mooi *lost in translation*.'

Hij schoot in de lach.

'Die hybride fusie van culturen is toch nooit een neutrale aangelegenheid, bedoel ik,' zei Ella, 'het is ook een kwestie van mode en macht.' Ze wist niet of haar betoog ergens op sloeg, maar niemand die kon beweren dat ze haar best niet deed. Daar was gelukkig de ober met haar voorgerecht, een schoteltje met escargots. Ze doopte een stukje brood in de saus.

'Zeker, zeker,' beaamde haar tafelgenoot. 'Op het congres zal hierover morgen met graagte worden geredetwist. Misschien interessant voor u? Ik kan er zelf helaas niet bij zijn, want ik vertrek morgen alweer naar Mâcon.' Hij nam een slokje van zijn wijn. 'U bent kunsthistorica, zei u?'

Ze knikte.

Hij haalde een foto uit zijn jaszak en legde hem voor haar neer. 'Vrienden vroegen me naar deze schilderijen uit te kijken,' zei hij.

Ella pakte de oude zwart-witfoto van tafel. Een man en een vrouw van middelbare leeftijd zaten naast elkaar op een sofa, hun handen ineengestrengeld. Ze keken heel ernstig in de camera.

'Het gaat om de schilderijen achter hen.'

Ze bekeek de foto iets beter. Aan de wand hingen twee stillevens, een met citroenen en walnoten, de andere met een brok kaas en druiven, allebei fraai ingelijst.

'Zeventiende-eeuws?'

'Vermoedelijk. Deze foto is begin jaren veertig gemaakt

in hun huis aan de boulevard Raspail in Parijs, een paar jaar voordat ze werden opgepakt en weggevoerd. Het is de enige foto die er van de schilderijen bestaat.'

Hij vertelde dat de schilderijen tijdens de oorlog uit hun huis waren geroofd, en sindsdien spoorloos waren verdwenen.

'Misschien Zurbarán?' opperde Ella, 'vanwege die citroenen.'

'Nee, we zijn al zijn werken al nagegaan.'

'Dan waarschijnlijk Vlaams of Nederlands. Ik kan het niet zo goed zien, maar ze vertonen wel enige overeenkomst met de stillevens van Claesz bijvoorbeeld.'

'U bent een kenner?'

'Helaas niet,' zei Ella. 'Tijdens mijn studie heb ik me vooral met middeleeuwse kunst beziggehouden, daarna heb ik me in moderne kunst gespecialiseerd. Heeft u geen andere informatie over deze stillevens?'

'Nee, er is zelfs geen eigendomsbewijs, ook zoekgeraakt tijdens de oorlog. De grootouders zijn nooit teruggekeerd van de kampen, de moeder werd als jong meisje ondergebracht bij een Franse pleegmoeder en verhuisde later met haar man naar Spanje. Na de oorlog had ze alleen nog een paar foto's, waaronder deze.'

Hij keek haar peinzend aan. 'Mag ik u, gezien uw expertise in middeleeuwse kunst, misschien nog iets anders voorleggen?'

De Spaanse antiquair liet er geen gras over groeien.

Hij legde een afbeelding van een miniatuur op tafel, waarop een vrouw in een glanzend rood gewaad een kruis vasthield. Op de grond lag een man, met windsels om zijn armen en benen, die zijn hoofd naar haar ophief. De miniatuur was omringd door floralen en een banderol, waarop een tekst geschreven stond die ze niet kon lezen.

'Lazarus?' vroeg ze.

'Nee, de tekst verwijst naar een andere legende. "Zie, op het kruis komt alles aan" van Thomas a Kempis, citaat uit *De imitatione Christi*, na de Bijbel het meest gelezen boek in de vijftiende eeuw. Uw landgenoot, toch?'

'Niet helemaal. Hij is geboren in Duitsland, maar als dertienjarige jongen naar Nederland gestuurd, om in de leer van de Moderne Devotie van Geert Groote te worden opgeleid. Later is hij prior in Zwolle geworden.'

Ella bekeek de miniatuur wat beter. 'Als dit de gulden legende van het heilig kruis is,' zei ze, 'dan moet die vrouw de Romeinse keizerin Helena zijn, de moeder van Constantijn, die in de vierde eeuw het kruis bij Golgotha heeft laten opgraven.'

'Precies.'

'En door de genezing van die jongen meent ze dat dit het kruis van Christus is. Vooral die floralen, met die pelikaan en die valk aan de onderkant, echt schitterend. Een getijdenboek uit de vijftiende eeuw, denk ik, vandaar het citaat van Thomas a Kempis.'

'Ja, maar van wie?'

'Een echte meester,' zei ze peinzend. 'Behalve dat hij goed kan tekenen weet hij ook een verhaal te vertellen. Een leerling van Robert Campin misschien?'

De Spaanse antiquair schudde zijn hoofd. 'Ik denk het niet. Andere toets, ander kleurgebruik, meer sepia en aardetinten.'

'De kleuren, vooral dat rood, lijken op Van Eyck, maar die heeft geen getijdenboeken gemaakt, voor zover ik weet,' zei Ella. 'Het doet me ook aan het getijdenboek van Katherina van Kleef denken.'

David d'Espinaz keek haar verrast aan.

'Mag ik er misschien een foto van maken?' vroeg ze. 'Dan kan ik er later nog eens naar kijken.'

'Natuurlijk, als ik u nog een glas wijn mag aanbieden.'

Zelfs toen de allerlaatste archeologen naar hun hotelkamers waren verdwenen, zaten Ella en haar Spaanse antiquair nog druk te praten. Ze beloofde Cordelia Richter, haar vroegere hoogleraar, de foto van de miniatuur te sturen, ze was een bekende specialiste van getijdenboeken. Daarna spraken ze nog over diverse schrijvers en kunstenaars die in Autun hadden gewoond, onder wie Mme de Sévigné, die regelmatig te gast was geweest op een kasteel in de buurt.

Het gesprek werd mede dankzij Mme de Sévigné – en de vele glazen wijn – nog heel persoonlijk. Ella vertelde op zeker moment waarom ze in haar eentje door Frankrijk reisde, over de dood van haar vader, zelfs over de moeizame verhouding tot haar moeder, totdat de obers de lichten om hen heen begonnen te doven en ze afscheid moesten nemen.

David vroeg of hij haar telefoonnummer mocht hebben. Wellicht dat ze elkaar later in de week nog konden treffen. Ze krabbelde haar nummer op de achterkant van een servetje. Hij kende in Cluny wel een aardig restaurant, vlak naast de abdij, hij zou haar nog bellen.

In bed lag Ella nog een tijdlang over de ontmoeting na te denken. Het was zo licht in haar hoofd dat ze, ondanks de pil die ze had ingenomen, de slaap niet kon vatten. Ze maakte zich zorgen dat ze weer eens te vrijmoedig was geweest. Bovendien, waarom zou een Spaanse antiquair in haar familie geïnteresseerd zijn? Na een paar glazen wijn verloor ze de normale omgangsvormen uit het oog.

Maar er was nog iets anders, dat haar de slaap belette. Dat tikkende glas. Ze knipte haar bedlampje aan, pakte haar schrift van het nachtkastje en sloeg het achterin open. Het koperen huwelijksfeest van haar ouders. Toen was dat tikken van glazen tegen haar tanden begonnen.

6

Er hangen rode lampionnen boven de tafel, in de hoek van de zaal staat een aquarium met bleke, gevlekte vissen.

'Dat is ons toch maar mooi gelukt!' roept mijn moeder. Ze draagt een lichtblauwe jurk tot op haar enkels, die net iets te strak om haar buik en heupen zit. Ik hoop dat de andere mensen dit niet zien, zelf houd ik alles nauwlettend in de gaten.

'Proost!' roept mijn moeder en ze heft haar glas. 'Vier uw feestdagen!' Haar hand met het glas wijst naar links en naar rechts. Ze lacht stralend naar iedereen aan tafel. Mijn moeder is net een koningin. Ik zou willen dat ze even naar me toe komt en haar armen om me heen slaat, maar daar heeft ze natuurlijk geen tijd voor. Ik houd erg van haar armen, ze zijn heel zacht en er zitten veel sproeten op. Te veel om te tellen. Ik tel de stoeptegels voor het huis, de treden op de trap, maar bij mijn moeders armen raak ik de tel kwijt.

Ik draag een jurk die uit de resterende stof van mijn moeders feestjurk is gemaakt. Uit mijn stof, het hare, moet mijn moeder gedacht hebben, want ze is dol op Bijbelse spreuken. Mijn jurk heeft twee zwarte koordjes rond de hals met aan de uiteinden twee zilverkleurige torentjes. Die vind ik het mooiste. Ik draai ze om en om mijn vingers terwijl ik de gesprekken aan tafel probeer te volgen.

'Voor de blijmoedigen is het altijd feest!' roept mijn

moeder en ik snap niet waarom de mensen zo hard moeten lachen. Ik bekijk mijn menukaart. Dagenlang is mijn moeder ermee bezig geweest. Ze heeft voor iedereen een menukaart gemaakt met een spreuk erop en een bijpassend plaatje erbij.

Op die van mij staat een gek meisje met een lange, spitse neus en brutale ogen. Het plaatje komt uit een tijdschrift. Ze ziet er niet leuk uit, dat meisje, en de bijbehorende tekst begrijp ik ook niet goed: 'Al wat mode is, staat fraai.' Ik weet niet waarom mijn moeder die spreuk op mijn kaart heeft gezet, want kleren interesseren me niet. Ik houd eigenlijk alleen van mijn tekenspullen, van mijn boeken en van mijn duiven. Ik heb het liefst gewoon een broek aan, zoals mijn broer.

Er worden nog meer schalen op tafel gezet. 'Neem en eet,' roept mijn moeder. 'Opdat het jullie moge bekomen!' Mijn moeder spreekt in spreuken, ik weet ook niet waarom ze dat doet, maar de mensen moeten er de hele tijd om lachen.

Elke keer als ik naar mijn menukaart kijk, en veel anders heb ik niet te doen, voel ik me zenuwachtiger worden. Is het goed om met 'mode' bezig te zijn, of juist niet? Staan mijn kleren mij mooi? Of is alleen de 'mode' fraai, en ik dus juist niet, aangezien ik me daarvoor niet interesseer? Mijn moeder is zelf wel veel met kleren bezig, dus misschien is het toch wel aardig bedoeld.

Mijn moeders gezicht is nog roder geworden, straks ploft ze nog uit elkaar. Ik steek mijn hand onder de tafel en strijk over de zachte, gladde stof. Het is feest en daarom mocht ik de panty aan. Eerst mocht dat niet, maar toen had ik hem stiekem toch gepakt. Ik was naar het kastje in haar slaapkamer gelopen waar ze als een kluwen slangen ineengerold lagen en had er zomaar eentje uit gehaald en in mijn schooltas gepropt. Op het paadje achter ons huis had ik mijn kriebelige maillot uitgetrokken en de panty aangedaan.

Ik wilde weten hoe het voelde om net zulke mooie benen als mijn moeder te hebben. Na school was ik te dicht langs de rozenbottelstruiken gelopen en was de panty opengescheurd.

'En ook nog een ladder erin!' had mijn moeder boos geroepen. Toen mijn vader van zijn werk thuiskwam, stond ze hem met de kapotte panty in de gang op te wachten.

Een paar dagen later gebeurde er iets geks. Mijn moeder was na het eten naar de buurvrouw gegaan en toen had mijn vader een grap verzonnen. Voordat hij me in bed legde haalde hij alle panty's uit de la van mijn moeder, knoopte ze samen tot lange slingers en hing ze allemaal aan het plafond van hun slaapkamer, zodat daar een heel groot spinnenweb ontstond. Het rook heel raar, naar kaas en zweet, en mijn moeder vond het geen leuke grap. Ik vond het ook moeilijk. Eerst klappen, en dan slingers.

Ik hoor mijn vader naast mij bulderen van het lachen en zie aan mijn moeders gezicht dat er iets niet in orde is. 'Tel uw zegeningen!' roept ze, maar mijn vader doet net alsof hij niets hoort. Mijn moeder heft haar glas naar hem en roept luidkeels over de tafel heen: 'Voor de blijmoedigen is het altijd feest! Onze trouwtekst, Johan!'

Mijn vader mompelt iets onverstaanbaars en begint dat rare liedje weer te zingen: *'Je kunt nog beter verkering krijgen met een pad of schorpioen...'* Mijn broer moet lachen, maar ik duw tegen mijn vaders arm, omdat mijn moeder heel beteuterd zit te kijken. *'Want dat zijn lieve diertjes, maar het huwelijk is geen doen.'* Ik stoot nogmaals tegen zijn arm, maar mijn vader merkt het niet en zingt gewoon door. Mijn oom begint hard te lachen en ik pak zenuwachtig mijn glas op, zet het glas aan mijn lippen

en probeer de cola die in mijn mond stroomt door te slikken.

Maar er is zoveel mis aan tafel, mijn vader die maar
doorzingt, mijn moeder die nogmaals roept: 'Het is ons
toch maar mooi gelukt!', dat ik het glas iets te hard om-
hoogduw en het tegen mijn tanden stukslaat; er liggen
scherven op mijn tong.

Met mijn hand voor mijn mond sta ik op van tafel en
loop het zaaltje uit naar de wc. Het tapijt op de gang is net
zo rood als het bloed aan mijn hand. Als ik de wc in loop
zie ik in de spiegel dat er ook een vlek op mijn jurk zit. Ik
spuug de glasscherven uit in de wasbak en pak een papie-
ren servetje om de donkere vlek weg te poetsen. Er mag
niets fout gaan vanavond. In de spiegel zie ik een streepje
bloed langs mijn mondhoek naar beneden druipen, ik lijk
wel een vampier. Ik pak nog een paar servetjes en ga ermee op de wc zitten. Er steekt nog iets scherps tegen mijn
gehemelte. Ik trek er heel voorzichtig een scherfje uit, leg
het in de palm van mijn hand en dep met de andere hand
mijn bloedende mond.

Er gaat iemand het hokje naast mij binnen. Ik hoor de
straal van de urine in de pot kletteren en voel me zo hol
vanbinnen worden dat het net lijkt of ik leegloop in plaats
van die plassende persoon naast mij. Ik kijk naar mijn
knieën, die helemaal niet op die van mijn moeder lijken
en denk na over het feest, over mijn moeder en over mijn
juf op school, die ik soms liever vind dan mijn moeder.
Het is heel erg om zoiets te denken. Wie vindt haar eigen
moeder nu niet de liefste?

Ik vouw mijn hand langzaam dicht en voel de scherf in
mijn huid prikken, niet erg, een klein beetje maar, zoals
de krasjes die ik van de schooldokter op mijn arm kreeg.
Dan doe ik mijn hand weer open. Het bloedt niet eens, alleen een dun streepje huid kleurt langzaam van wit naar

rood. Dan gooi ik de scherf en de servetjes in het vuilnis-
bakje naast de wc en sjor de panty omhoog.

Ik moet snel terug naar het feest, ze zullen me wel gemist hebben.

7

De volgende ochtend werd Ella door een groepje gepensioneerde vrijwilligers van het Musée Rolin enthousiast verwelkomd. Een bezoeker, eindelijk! Een oudere heer met een zijden sjaaltje om zijn hals legde haar omstandig de ingewikkelde route uit. Het museum was in het voormalige woonhuis van de kardinaal van Rolin gevestigd, en spreidde zich over alle vertrekken en verdiepingen uit. Voor de middeleeuwse kunst moest ze de wenteltrap in de toren nemen, maar voor de zalen met latere kunst kon ze beter de hoofdtrap nemen.

Ze vertelde dat ze speciaal voor de Eva van Gislebertus was gekomen. 'Ah, natuurlijk, onze Eve!' riep hij goedkeurend en hield het plattegrondje onder haar neus. Eva bleek in de voormalige wijnkelder van de kardinaal te hangen. '*Au dernier moment!*' zei de man, waarna hij haar een goede visite wenste.

De snelste route was door de zalen met Romeinse kunst. Ella ontdekte nog een mooie sarcofaag voor een Romeins meisje dat in de derde eeuw door verdrinking om het leven was gekomen, en een fraaie torso van Venus. Haar linkerborst was voor een deel verbrijzeld, maar de zacht welvende schouderlijn was geheel intact gebleven. Ze leek nu op Penthesilea, de roemrijke Amazone die haar linkerborst had weggesneden om haar boog beter aan te kunnen leggen.

In de wijnkelder was het bas-reliëf van Eva aan een wand van zwarte leistenen bevestigd. Zodra ze het vertrek binnenstapte, kon Ella haar ogen al niet meer van haar afhouden. Sommige delen van de zandkleurige steen waren donkerder dan andere, beroet en vervuild door het stof van de tijd, de kleurverschillen gaven diepte en schaduw aan het werk. Ze ging op het bankje zitten en keek verwonderd naar het beeldhouwwerk voor haar.

Ze zwom, deze Eva van Gislebertus. Ze sliep niet, ze luierde evenmin, maar ze zwom, met één hand nonchalant een appel achter zich plukkend, de andere peinzend onder haar kin. Waterplanten schoten langs haar op. Met lome slagen verwijderde ze zich van Adam. Gislebertus had haar wenkbrauwen niet geëpileerd noch haar haren hoog over haar voorhoofd weggeschoren, zoals de middeleeuwse mode voorschreef; haar lokken dreven gewoon sierlijk langs haar gezicht en over haar rug, als die van Melusina, de zeemeermin.

Ella zag dat haar neus licht beschadigd was. Ze was wellicht net iets te ruw van de dorpel van de noordelijke ingang van de kathedraal gelicht. Maar haar kin stond vastberaden: Eva ging ervandoor.

Gislebertus had uit twee stenen een levensechte vrouw gehouwen, die zonder schuld of schaamte wegzwom van alle onterechte aantijgingen. Hij had haar met liefde geschapen, alsof ze zijn dochter was, en haar een heel eigen persoonlijkheid en sensualiteit meegegeven. Voor Ella was het onzeker of het timpaan van de kathedraal en deze Eva wel door dezelfde beeldhouwer waren gemaakt. Hoeveel ronder waren Eva's contouren, hoeveel menselijker haar uitstraling en vooral hoeveel eigenzinniger deze interpretatie van het Bijbelverhaal. Niet alleen Eva's aandeel in de zondeval, maar het hele verhaal van de verdrijving uit het paradijs werd in twijfel getrokken.

Van Adam ontbrak ieder spoor. De man naast wie Eva zes eeuwen lang zij aan zij aan de bovendorpel van de kathedraal had gehangen was zoekgeraakt. Zij aan zij, dacht Ella, hetgeen toch iets anders is dan dat ze uit zijn zij gemaakt zou zijn, nog zo'n fabeltje waarvan Eva misschien genoeg had gekregen. 'Hij schiep *hen*, man en vrouw,' stond er eerst geschreven, meervoud dus. Ze zwom weg, omdat daar in een handomdraai enkelvoud van werd gemaakt, en vervolgens kreeg ze ook nog het eten van de boom van kennis van goed en kwaad in haar maag gesplitst. Uitgerekend zij, die nog geen dag naar school had gemogen.

Ja, dacht Ella, ze gaat ervandoor, in plaats van berouwvol of onnozel naast de boom van kennis te blijven staan, zoals bij Cranach bijvoorbeeld, het palmblad kuis geheven voor haar geslacht. Zelfs Rodin had haar nog vol schaamte en schande afgebeeld. Maar deze Eva had dat eeuwen daarvoor al tamelijk onzinnig gevonden. Zij zou Adam tot zonde hebben verleid? Zij zou het kwaad in de wereld hebben gebracht? De blik van deze Eva was zowel nadenkend als waakzaam: ze had er vertrouwen in, maar was toch op haar hoede. Ze had niets misdaan, ze had alleen een beetje willen praten en nadenken. Maar daarmee had ze de toorn van God over zich afgeroepen. Ze was te nieuwsgierig geworden, had Adam haar verweten, ze stelde te veel vragen, dat mocht niet. Ze had hem verbaasd aangehoord en was toen het water in gegleden.

Op het bankje voor het bas-reliëf keek Ella zo lang naar Eva dat ze op een zeker moment haar dromen kon zien en haar frustraties kon navoelen. Ze had geprobeerd om samen te zijn met Adam, en dat was heerlijk geweest in het begin. Maar toen ze alles samen aanschouwd en benoemd hadden, was er een groot verlangen in Eva opgekomen. Misschien waren het de woorden en namen zelf wel geweest, die dat verlangen in haar hadden losgemaakt. Een verlangen om te denken en te begrijpen, de wereld te doorgronden en haar plaats daarbinnen te bepalen. Maar dat was verboden, zei Adam, dat was zondig en onrein, ze moest zich schamen.

Daarom zwom ze weg, haar haren los en onbedekt, met trage, doelbewuste slagen. Ze ging elders wonen, waar mensen woonden met zachtere handen en stemmen. Ze nam een appeltje mee voor de dorst, en verder zou de lief- de haar voeden en de waarheid haar pad belichten en de schoonheid, ach, die droeg ze al eeuwenlang met zich mee.

Ze trok Ella achter zich aan de rivier in, tussen de plan- ten en het murmelende water, totdat ze ineens de stem van haar moeder hoorde: 'Zit je weer in hogere sferen, El- la?' en ze met een plof weer op het bankje belandde. 'Kom toch eens met je neus uit die boeken. Al dat lezen en stu- deren is toch niets voor jou!'

Ze stond op en nam een paar foto's van Eva. Ze had het koud gekregen van het lange stilzitten, maar ze was Gis- lebertus, of wie het dan ook geweest mocht zijn, dankbaar dat hij haar voor het eerst sinds lange tijd weer had weten te ontroeren. Het was het juiste beeld op het juiste mo- ment geweest.

Ella nam de wenteltrap in de toren en kwam op de ver- dieping met laatmiddeleeuwse kunst, waar twee vijftien- de-eeuwse triptieken van 'onbekende Hollandse meesters' hingen, hoewel ze zeker wist dat het Vlaamse primitieven waren. Het bleken hoe dan ook door nazi's geroofde kunst- werken te zijn, die, zoals het bordje ernaast vermeldde, 'in afwachting van de rechtmatige eigenaars door het Louvre in het museum van Autun waren geplaatst'.

David had haar verteld dat de meeste kunstwerken on- danks alle verzoeken van de families nog altijd niet waren teruggegeven. Het ging volgens hem om het witwassen van enkele duizenden schilderijen. Ella kon amper de neiging bedwingen de panelen van de muur te lichten om te kijken of er geen eigendomsbewijs achterop stond.

Volgens haar waren het Vlaamse meesters uit de school van Rogier van der Weyden of Van Eyck. Dat zinderende rood van Van Eyck had haar altijd net zo gefascineerd als het blauw van Giotto. Het was precies die kleur rood die op het triptiek terugkwam, in de jurk van Maria Salomé met haar zoon Johannes op schoot. Thuis had Ella een wollen deken in dezelfde kleur rood elke nacht tot hoog onder haar kin opgetrokken. De kleur had haar tijdens de lange slapeloze uren rustig gemaakt. Rood, de kleur van de liefde en 'het licht na de duisternis', waarvan men aannam dat die als eerste door mensen bewust werd waargenomen én nagebootst, zoals op de grotschilderingen van Lascaux.

Ze liet de andere zalen voor wat ze waren en ging naar beneden. Toen ze de binnenplaats overstak, besloot ze nog een laatste blik op Eva te werpen.

Voor het bas-reliëf stonden houten verhuisdozen klaar, op de grond lagen kabels en touwen. Tegen de muur stond een informatiebord met het plasticfolie er nog omheen. 'Eva wordt voor restauratiewerkzaamheden naar Parijs vervoerd,' las ze, 'waar ze zes maanden zal blijven en een facelift zal krijgen.' Ella kon haar ogen niet geloven, maar het stond er echt: een facelift. Het bas-reliëf zou schoongespoeld worden van alle sporen die de tijd op haar had achtergelaten. Over een jaar zou ze 'als nieuw' weer in het museum terugkeren: onttoverd en wel. *Au dernier moment.* Nu begreep Ella pas wat de man bij binnenkomst had bedoeld. Goddank had ze haar nog net op tijd gezien.

*

Die avond stuurde ze na het avondeten Cordelia Richter een mail, vertelde haar over Eva en over de miniatuur en zond de foto als bijlage mee. Op bed herlas ze de laatste aantekeningen in haar schrift.

Ze vroeg zich af of het mogelijk was om zoveel jaren later nog samen te vallen met het meisje dat zo gespannen het verloop van een feest in de gaten hield. Waarom had ze zich zoveel zorgen gemaakt? Goed, haar moeder had iets te hard gelachen en haar vader iets te hard gezongen, maar dat was nog geen reden om glazen stuk te gaan bijten. Ze had de spanning aan tafel gevoeld en meende blijkbaar dat het slagen van het feest haar verantwoordelijkheid was. Ze moest voorkomen dat de dingen weer hun onvermijdelijke loop zouden nemen. Want feestjes waren vaker de luidruchtige voorbodes van rampspoed.

De koperen bruiloft bij de chinees had al lange tijd liggen sluimeren in haar bewustzijn. Af en toe waren er flarden van omhooggekomen; de rode lampionnen, die scherf in haar hand. Maar pas nu had ze die flarden tot één herinnering weten te smeden. Ze voelde opnieuw de dreiging die ervan uitging. Ze ging languit op bed liggen.

De momenten in een leven die er werkelijk toe doen, dacht ze, zijn uiteindelijk op twee handen te tellen. Meer zijn het er niet, een stuk of tien, en daar hoorde het koperen huwelijksfeest van haar ouders zeker bij. Het waren helaas niet de mooiste momenten die ze scherp onthouden had, maar vooral de momenten die haar teleurgesteld of ontregeld hadden. Al die andere, al die maaltijden, de schone kleren en gewassen lakens, al die fietstochtjes en verjaardagen, verwierven maar hoogst zelden de status van iconische herinnering. Een hard gelag voor ouders, dacht ze, terwijl ze langzaam in slaap doezelde.

'5 maart. Het wordt steeds doller met die dromen van mij. We zaten met de hele familie aan een lange tafel spaghetti te eten. Het zag er feestelijk uit, maar op een gegeven moment vroeg ik aan ma waarom ze nooit door iets werd geraakt. Toen ze daar niet op reageerde, vergeleek ik haar met iets onaanraakbaars, maar ik kan me helaas niet meer herinneren wat dat was. Weer geen reactie. Wel hoorde ik dat pa, die in de keuken stond, om die vergelijking moest lachen. Toen pakte ma de pollepel van tafel en hief deze naar mij op. "Ik vervloek je," zei ze, niet boos, maar heel kalm en duidelijk articulerend. De pollepel veranderde in een mes.

Ik schrok, maar niemand aan tafel die het had gehoord of gezien, iedereen at en dronk gewoon door. Ik liep weg van de tafel, totdat ik een raar geluid achter me hoorde, waardoor ik me weer omdraaide. Uit mijn moeders mond stroomde een oneindige hoeveelheid spaghettidrab. Al gauw lag de hele tafel onder, en vervolgens droop het van het tafellaken op de hele vloer. Toen werd er aangebeld en holde ik door de stinkende smurrie naar de deur, waar iemand van het Rode Kruis stond.

Ik ademde de frisse buitenlucht in, stopte een muntstuk in de collectebus, en deed de deur weer dicht. Vervolgens werd er weer aangebeld, tot drie keer toe, en elke keer deed ik braaf een muntstuk in de bus met het rode kruis erop, opgelucht dat ik goede doelen buiten de deur mocht ondersteunen, in plaats van binnen die smeerboel op te ruimen.'

Die nacht werd Ella rond een uur of drie opnieuw wakker, omdat er iemand aan haar deur stond te rommelen. Ze knipte het bedlampje aan, zag de deurklink op en neer gaan en bleef doodstil op dat harde kloosterbed liggen, als een gedrogeerde non met haar ogen wijd open. Onafgebro-

99

ken hield ze haar blik op de deur gericht; steeds opnieuw werd de sleutel in het gat gestoken. Toen ze haar telefoon van het nachtkastje pakte om de receptie te bellen, hoorde ze nog één keer luid vloeken in een taal die ze niet verstond, maar daarna hield het gerommel aan haar deur op. De man liep verder de gang in, waarschijnlijk moest hij een verdieping hoger zijn.

Opgelucht haalde ze adem. Ze stond op om een glas water te drinken. Een kwart van de bezoekers van wetenschappelijke congressen ging vreemd, had ze ooit ergens gelezen, maar ze kon zich moeilijk voorstellen dat een van de grijze archeologen met een collega de bloemetjes buiten had gezet. Ze ging met het glas water voor het raam staan; alle kamers waren donker. Er was zo te zien nergens meer een archeologisch feestje aan de gang.

8

De volgende ochtend werd ze gewekt door een telefoontje van haar broer, die ze ook al maanden niet gesproken had. Na een korte, wat zakelijke begroeting vroeg hij of ze nu wel of niet van plan was om naar het feest te komen.

Even dacht Ella nog dat het over haar eigen verjaardag ging.

'Welk feest?' vroeg ze slaperig.

'Van ma natuurlijk,' zei Hans. 'Dat is over drie weken.'

Ella probeerde uit te leggen dat het toch wel een beetje eigenaardig zou zijn als ze doodleuk op haar moeders verjaardag zou komen opdraven. 'Ik heb haar sinds die ruzie niet meer gesproken,' zei ze.

Haar broer vond dat geen enkel probleem. Ze moest gewoon 'de wijste zijn'.

'Hans, ze heeft me haar huis uit gegooid.'

'Ze wordt maar één keer vijfenzeventig,' zei hij. 'Dus vergeet die ruzie, stap er gewoon overheen.'

Nu had ze die beweging vrij aardig onder de knie gekregen. Naast weglopen en wegdromen was ergens overheen stappen, of springen desnoods, zelfs een van haar specialiteiten geworden. Ditmaal weigerden haar benen echter dienst.

Nadat ze hadden opgehangen bleef Ella noodgedwongen op de rand van het bed zitten. Het lukte haar niet om op te staan en naar de badkamer te lopen. Daarvoor in de plaats namen de bekende signalen weer de overhand: suizende oren, prikkende handen, klam zweet over haar rug. Feestjes, dacht ze, ze eindigden maar al te vaak in drama's. Autoruiten die sneuvelen, nare speeches, borden die door de kamer vliegen. Dat wist haar broer ook, maar die scheen dat geen probleem te vinden of had er geen last van. In ieder geval voelde hij zich er niet verantwoordelijk voor. Zij was degene die moeilijk deed.

Na een paar minuten lukte het haar om haar linkervoet weer op te tillen, de rechter was nog in diepe slaap en bungelde als een lichaamsvreemd onderdeel aan haar been. Ze sloeg dit keer toch maar eens een feestje over, ook al werd haar moeder dan vijfenzeventig en zou Tobias het haar misschien ook kwalijk nemen. Of misschien ook niet, als ze hem eens eerlijk zou vertellen hoe de vork in de steel zat.

Tobias was als kind dol op haar moeder en zij op hem. 'A boy! It's a boy!' had ze dol van vreugde aan de telefoon uitgeroepen, toen Ella haar vertelde dat ze een kleinzoon had gekregen. Haar moeder kwam oppassen, maakte het ene na het andere fruithapje klaar, sjouwde van park naar kinderboerderij, niets was haar te veel. Ze kon al haar liefde aan haar eerste kleinzoon kwijt, en knuffelde hem bijkans bewusteloos.

Het waren ook hun beste moeder-dochterjaren, dacht Ella, want indirect straalde haar moeders verknochtheid op Tobias toch ook een beetje op haar af, al kon ze haar omhelzingen nooit goed verdragen. Toen Ella naar Almere verhuisde en Tobias daar op school ging en er niet langer werd opgepast, vervielen zij en haar moeder weer in de oude patronen van beleefdheid en kwam die lichte argwaan weer bovendrijven.

Zolang ze zich kon herinneren was de relatie met haar moeder ingewikkeld geweest. Er klopte iets niet, maar wat dat precies was, wist Ella na al die jaren niet te benoemen. Ze kon bijvoorbeeld niet naar een film kijken waarin een moeder een liefdevol gebaar naar een dochter maakt zonder een knoop in haar maag te krijgen.

Ze hield van haar moeder, van haar gulle lach, haar gastvrijheid, haar onverwoestbare optimisme, maar er zat ook altijd iets tussen hen in, een onzichtbaar vlies van achterdocht en waakzaamheid. Daardoor had Ella de indruk dat haar moeder haar wel zag, maar niet echt leek op te merken.

Met Simone de Beauvoirs *De tweede sekse* in de hand had ze haar moeders gebrek aan aandacht proberen te verklaren. Het leek of ze niet zelfstandig kon of mocht bestaan en zich daarom voor iedereen zo uitsloofde. Maar nooit was het werk gedaan, de bende stapelde zich gewoon achter haar rug weer op, er waren altijd weer nieuwe feestjes of verjaardagen op komst. Er zat maar geen progressie in, noch enig tastbaar eindresultaat. Het was een uitputtingsslag waarvoor ze geen medaille of zelfs maar een schouderklopje kreeg. En zeker niet van haar vader, die liever een grap over haar maakte dan een complimentje gaf.

Het merkwaardige was dat juist haar vaders overlijden de kloof tussen hen had verdiept. Zelfs zo erg dat het Ella niet meer lukte om deze met fraaie sociaal-politieke verklaringen te overbruggen. Had ze het tegenovergestelde verwacht? Eenmaal bevrijd van de man die maar voor heel weinig vrouwen respect op kon brengen, zou er toenadering tussen haar en haar moeder mogelijk zijn. Maar dat gebeurde niet. Integendeel zelfs.

Ella's rechtervoet prikte en tintelde. Ze wreef er met haar hand overheen en kneedde een voor een haar tenen, als om ze weer tot leven te wekken.

Misschien, dacht ze, was haar moeder toen pa op sterven lag niet alleen hem, maar ook zichzelf verloren. Alsof de deur waarop ze een leven lang had gebonkt en die de reden was geworden van haar bestaan, ineens geen weerstand meer bood en in mist opging. En daarmee zijzelf ook. Want zonder die nukkige man op wie ze zo lang al haar zorgen en verwijten had botgevierd, kon ze zelf ook niet bestaan. Dat wist ze. Dat voelde ze. Na een huwelijk vol ongelijkheid was er alleen nog de paniek en de strijdlust over om nog iets van zichzelf te behouden.

De laatste keer dat Ella haar vader bezocht, was haar moeder de kamer komen binnenstormen. 'Waar is *mijn* man?' had ze onthutst geroepen. En nog een keer: 'waar is *mijn* man?', terwijl haar vader toch overduidelijk in het bed vlak voor haar lag.

Haar broer stond achter haar moeder en grijnsde schaapachtig. Maar die vier woorden veroorzaakten bij Ella een enorme spanning. Ze schoot overeind uit de stoel naast het bed en mompelde dat ze beneden in de hal dropjes voor pa ging kopen. Terwijl ze de lift nam, bleef dat zinnetje maar door haar hoofd gaan. Hoezo, waar is *mijn* man? Was ze soms bang dat iemand hem ontvoerd had? Ze stond net de drop af te rekenen, toen haar moeder belde. 'Ik wil niet dat je nog teruggaat naar pa,' zei ze. 'Jouw bezoek heeft hem vreselijk vermoeid. Hij is er nu heel slecht aan toe, dus ga maar naar huis.'

Ella was op een van de bankjes in de hal gaan zitten. De zon viel door de hoge glazen pui naar binnen en gleed over de gezichten van de artsen en verplegers in hun witte jassen. Ze werden allemaal gevangen in hetzelfde licht, terwijl zij het enige donkere element in de ruimte vormde. Ze begon door de hal te ijsberen, langs de patiënten die aan hun palen met sondevoeding voorbij schuifelden. Daar moeten ze toch eens iets anders voor verzinnen, dacht ze nog, toen ze langs de balie met de onvermijdelijke olijfbomen ervoor naar buiten liep. Goed, dan ging ze wel naar huis. Bezoekers stapten in en uit hun auto's, sommigen hadden bloemen bij zich, anderen een tas met kleren. Ella vroeg zich af of er iemand bij was die zich in dezelfde situatie bevond als zij.

De flatgebouwen aan de overkant, die uniforme kolossen van steen en glas met de strakke gazons ervoor, onderstreepten nogmaals de absurditeit van de situatie, van haar leven. Ze bevond zich in een vreemd universum dat zich van haar af had gekeerd, omdat ze iedereen toch maar tot last was en nergens iets van begreep. Op nog geen tien meter van haar auto, de sleutel had ze al uit haar tas gevist, begon er iets te knagen, het was niet veel, een toefje moed misschien, een vederlicht protest, maar het dwong haar om te keren. Ze liep het ziekenhuis weer in en nam de lift naar boven.

Haar vader lag alleen in zijn kamer en sperde verheugd zijn gezicht tot een brede grijns. Haar moeder was in geen velden of wegen te bekennen. Ze gaf hem de dropjes, waarvan hij gretig begon te eten. Daarna keken ze samen naar een voetbalwedstrijd op tv. Haar vader vroeg om de krant, waarschijnlijk om te kijken wie de halve finale moest spelen, maar het lukte hem niet de juiste bladzijde op te slaan. Ze zag hem vechten met die krant. Ze wilde wel helpen, ze wilde die bladzij wel voor hem opzoeken, maar zijn drift hield haar tegen.

Het suizen in haar oren nam af, de tintelingen in haar voet verdwenen en ze bereikte de douchecel zonder verdere noemenswaardige problemen. Ze bleef zeker een kwartier onder de warme waterstraal staan. Daarna raapte ze haar spullen bij elkaar en gooide die in haar koffer. Ze had lang genoeg gedraald. Nog een dagje naar Cluny om de abdij te zien en dan in één ruk door naar het zuiden.

III

Het zwart beweegt

I

De avond valt boven de rivier. De zon is achter de berg-kam verdwenen en ijlt nog wat na, spuwt hier en daar wat vlekken rood op het tentdoek van de hemel. Ik sta achter het campingtafeltje met een natte theedoek over mijn blo-te schouder en doop de laatste borden in het sop. Mijn ou-ders zitten in de tuinstoelen koffie te drinken, mijn broer is hem natuurlijk alweer gesmeerd.

Tijdens het afwassen speel ik de rol van diplomaat met verve, terwijl ik ondertussen mijn oren gespitst houd. Ik probeer zowel toegevend als vasthoudend te zijn en voer alle mogelijke argumenten aan om het conflict in mijn voordeel te beslechten. 'Het is toch vakantie,' zeg ik. En: 'Ach, gewoon een beetje jeu de boulen.' Dan komt onver-wacht de overwinning.

'Maar om elf uur ben je weer thuis.' Ik gooi de theedoek over de stoel, roep 'Fijne avond!' en zet het op een hollen. 'En geen minuut later!' hoor ik nog achter mij roepen.

Halverwege de camping vang ik het bekende, ronkende geluid op. Er is maar één uitlaat die precies op deze ma-nier knettert. Ik hol het pad af, ren voorbij de washokjes, spring over een scheerlijn en zie Marc op zijn motor bij het hek zitten. Mijn broer staat met zijn vrienden bij de flipperkast en mag mij niet zien, dus loop ik met een boog naar Marc. Hij reikt mij zijn helm aan en ik spring snel achterop. We rijden door een donkere tunnel van takken en bladeren. De wind suist in mijn oren en ik vouw mijn handen om Marc zijn middel, laat de helm om mijn arm bungelen. Mijn rode haren zijn zelf een helm.

De koplamp glijdt over de gevlekte stammen van de platanen, als soldaten die in camouflagepakken voor ons op wacht staan. De brug wordt slechts door één straatlantaren verlicht, er zitten gaten in het wegdek en dus rijden we er langzaam overheen. De bogen glijden aan ons voorbij, ik zie de schittering van de maan op de rivier weerkaatsen. Aan het einde van de brug geeft Marc een dot gas waardoor ik naar achteren schiet. Ik voel een siddering langs mijn rug gaan en knel mijn armen nog steviger om zijn middel.

We volgen het weggetje langs de rivier en parkeren de motor even verderop in het bos. De wind rammelt zachtjes aan de droge bladeren. We lopen hand in hand naar onze plek aan het water, een met gras begroeide uitholling in de rotsen; dit is onze stek, onze schuilplaats, onze *nid d'amour*, zegt Marc.

Wat volgt is geen uur van zestig minuten – 'een uurtje, niet langer!' – maar een uur van zand, zweet en verlangen. We zijn nu zelf de egels die zich met hun speeksel insmeren, dat ruikt naar knoflook, honing en zout. Boven onze verstrengelde lichamen regisseert de maan elke volgende stap. Marc kruipt boven op me en ik voel de zwaarte van zijn lichaam, zijn kaken die in mijn wangen prikken, zijn hand die mijn korte broek omlaagsjort.

Er schiet een vlaag van angst door me heen. Ik bestudeer zijn blik vol gouden spikkels, alsof de maan erin uiteen is gespat, hoor het klotsen van de rivier tegen de oever en zijn zachte gekreun en hef dan mijn heupen nog iets meer omhoog, zodat het laatste obstakel uit mij wegstroomt. De nacht verbindt ons met geurige windsels, de cicaden zetten nog een tandje bij. We zijn vijftien en zestien, en onverzadigbaar.

Daarna liggen we op de rotsen een sigaret te roken. Ik heb me nog nooit zo vreemd gelukzalig gevoeld.

We laten onze bezwete lichamen langs de rotsrand in het koele water glijden en zwemmen een paar meter in de richting van de brug. Marc duikt onder en zwemt tussen mijn benen door, we graaien naar elkaars armen en beginnen in het water opnieuw te zoenen. We zijn Adam en Eva, op het eerste uur van de allereerste dag. Ik hang met mijn armen om zijn nek en sla mijn benen om zijn middel.

In de verte begint de klok van Collias te slaan. We tellen watertrappelend de slagen.

'*Minuit,*' zegt Marc.

'Dat kan niet,' zeg ik geschrokken. 'We zijn er toch pas net?' We zwemmen terug naar de oever en klauteren op de rots. In de verte slaat de kerkklok nog een keer. We staan stil en tellen een voor een de uren. Het zijn er wel twaalf en we schieten in onze kleren en hollen over de rotsen naar het pad.

Marc moet een paar keer trappen voordat de motor aanslaat. 'Schiet op,' smeek ik. Hij wil dat ik zijn helm opzet, maar ik zeg alleen maar 'snel, snel' en hang de helm aan mijn arm. We minderen vaart voor de bocht naar de brug en net als de eerste bogen aan ons voorbijtrekken, suist er vlak naast ons iets zwaars naar beneden, een donker pak schaduw, dat met een doffe plons in het water valt.

Marc remt en zet de motor tegen de brug, we buigen ons over de reling. In de diepte zien we het lichaam van een man in de rivier drijven. Hij heeft een wit overhemd aan, dat opbolt in het water. Zijn lichaam zakt soms voor een deel naar beneden en komt dan weer bovendrijven. Marc wil op de reling klimmen om hem achterna te duiken, maar ik houd hem tegen.

'Niet doen,' zeg ik, 'te gevaarlijk. We moeten de politie bellen.'

We racen botsend en met loeiende motor over de kuilen en gaten naar de telefooncel bij de ingang van de camping. Marc neemt de bocht net iets te krap, waardoor de banden slippen en we naar links omslaan. Mijn knie schuurt over het wegdek, de motor schiet onder ons vandaan en schuift nog een stukje door.

Geschrokken krabbelen we overeind. Marc bekijkt mijn knie, slaat met zijn hand tegen zijn hoofd en begint op zichzelf te schelden: *connard*, roept hij. Ik zeg dat we de politie moeten bellen. Hij holt naar de telefooncel, terwijl ik achter hem aan strompel.

'Ze komen eraan.' Hij wil me naar de tent brengen, maar ik schud van nee. Ik peuter de zwarte asfaltkorrels uit de schaafwond op mijn knie. Hij dringt aan, maar ik ruk me los. 'Nee, het valt wel mee. Wacht jij maar op de politie.'

Ik strompel voorbij de tenten en caravans, met de lege tafeltjes en tuinstoelen ervoor, het wasgoed aan de lijnen, de rondslingerende zwembanden en rackets, nergens brandt meer licht. Ik hoor opnieuw het suizende geluid van het lichaam, en dan de doffe klap op het water. Ik verzin de ene smoes na de andere en bid en smeek dat mijn ouders ook al naar bed zijn gegaan en ik ongezien mijn tentje in kan glippen.

Het pad maakt een flauwe bocht en dan zie ik het blauwe gaslicht in de voortent van onze vouwcaravan branden. Door het plastic zijraam zie ik mijn moeder heen en weer lopen, ze zet twee passen vooruit, en dan weer twee stappen achteruit. Bij elk woord dat ze tegen mijn vader zegt, werpt ze haar hoofd nadrukkelijk naar beneden, waardoor ze op een vogel lijkt, die een soort paringsdans opvoert.

Mijn vader danst niet met haar mee: hij staat stokstijf en zegt iets. Dan hoor ik in de verte de sirene van de politieauto. Achter mij voel ik de duisternis van het bos in mijn rug duwen. Er is geen weg terug.

Daar sta ik in mijn afgeknipte spijkerbroek, met mijn bloedende knie, mijn besmeurde shirtje, mijn vieze voeten en bruinverbrande armen. Ik hoor de rits van de voortent opengaan en zie mijn vader naar buiten stappen.

'Wat wil je dat ik doe?' Het wit van zijn ogen licht op in het schijnsel van de gaslamp.

'Dit kan niet langer zo doorgaan, Johan!' hoor ik mijn moeder roepen. 'We moeten één lijn trekken!'

Mijn vader pakt de bezem waarmee we elke ochtend de tent schoonvegen en houdt hem omhoog naar mijn moeder. 'Is dit goed genoeg?' roept hij. 'Kun je hier een lijntje mee trekken?'

Mijn moeder komt naar buiten met een vinger tegen haar mond en wil mijn vader aan zijn arm de voortent binnentrekken. Dan kijkt ze op en ziet me staan.

'Daar is ze!'

Er is nooit een weg terug. Er is alleen maar een weg heen, schoorvoetend of hollend. Ik leg de laatste meters naar de tent af, mijn benen zijn zwaar, de schaafwond brandt op mijn knie. In de tent onderga ik gelaten het gesmoorde gevloek en de klappen.

Nooit zeg ik iets terug, maar niets zal mij ervan weerhouden om de benen te nemen, zodra de gelegenheid zich voordoet. Ik bereken jaren, kansen en mogelijkheden en maak me gereed voor de sprong.

2

'Is alles naar wens geweest?' De hotelreceptioniste keek Ella zo chagrijnig aan, dat ze haar opmerking over het beschimmelde tapijt maar liet varen.

'Uitstekend, dank u wel.'

'Dit heeft een van onze gasten voor u achtergelaten,' zei de vrouw minzaam.

Ella pakte het visitekaartje op, het was van David. Op de achterkant had hij 'Hopelijk tot in Cluny, groet David' geschreven.

'Hij is een van onze vaste gasten.' Er verscheen een flauw lachje om haar mond. 'Hij komt hier vrijwel elk jaar, vaak in gezelschap van zijn vrouw.'

Ella betaalde de rekening en wenste haar nog een prettige dag. Waar bemoeide dat mens zich mee?

De kathedraal sloeg elf uur toen ze naar haar auto liep. Even later reed ze door de stadspoort Autun uit. Strepen helder licht aan de horizon, het weer begon eindelijk op te klaren.

Ze besloot een kleine omweg te maken naar het kasteel dat door Mme de Sévigné ooit het Fontainebleau van de Bourgogne was genoemd. Ze had dit keer niet overdreven. Ella zag zes pronte torens, vier kogelvrije muren, een ophaalbrug en een brede slotgracht eromheen. De vlaggen en klaroenstoten ontbraken, maar het slot verrees zegevierend uit de mist, alsof het zojuist een klinkende overwinning had behaald.

Het hek bleek niet op slot te zitten. Het bordje vermeldde dat het park vrij toegankelijk was voor publiek, en dus wandelde Ella over de lange oprijlaan naar het kasteel, dat volgens haar Spaanse antiquair alleen nog door de weduwe van de hertog bewoond werd.

Rijen strak gesnoeide buxussen aan weerszijden, het grind knerpte onder haar voeten. Toen ze bij de ophaalbrug kwam, stoven er drie hazewindhonden op haar af, die nerveus om haar benen draaiden.

'Koest!' Een vrouw gekleed in een donkergroen jachtkostuum, hoge rijlaarzen en een bruine cape om haar schouders kwam naar haar toe. Kaarsrechte rug, ze kuierde niet, ze schreed. De hertogin, geen twijfel mogelijk.

'Het park is nog gesloten,' zei ze met een zwaar Engels accent. Ze deed Ella aan iemand denken, die kleding en statige houding, maar ook de licht masculiene trekken in haar gezicht.

'Neemt u me niet kwalijk,' zei Ella, 'op het bordje stond...'

'We openen pas half april.'

Vita Sackville-West, daar leek ze op. Het sluike haar dat langs het bleke gezicht viel, de stevige kaaklijn. De hertogin was de weduwe van een nazaat van een roemrijke Ierse familie die in de achttiende eeuw voor de Engelse koning op de vlucht was geslagen. Ze werden in Frankrijk gastvrij onthaald, vochten mee aan Franse zijde en werden als dank tot de Franse adelstand verheven.

'Dan kom ik graag terug,' loog Ella.

'U bent geïnteresseerd in tuinieren?'

'Niet echt, maar een vriend raadde me aan het kasteel te bezoeken.'

'Van je vrienden moet je het maar hebben,' verzuchtte de hertogin. 'Die sturen je altijd naar plekken die gesloten, gesloopt of tot ruïne vervallen zijn.'

'Uw woning ziet er anders nog stevig uit.'

'Ja, maar het onderhoud. Gebroken vensters, lekkages, houtrot. Franse aannemers die eindeloos op zich laten wachten. En alles kost geld.'

Dat was een gevoelige kwestie, wist Ella. David had verteld dat de moeder van de hertogin, Britse adel en lid van de Tories, op haar sterfbed plotseling vier van haar vijf kinderen had onterfd, waaronder de hertogin. Haar vele miljoenen ponden had ze allemaal aan haar jongste dochter nagelaten.

'Uw vriend, ken ik hem?' vroeg ze, terwijl ze achteloos de kop van een van haar hazewindhonden aaide.

'Hij was hier vorig jaar bij een symposium,' zei Ella. 'David d'Espinaz. We waren samen in Autun.'

De hertogin keek haar peinzend aan. 'Ah, meneer d'Espinaz. Groot kenner van antiquarische boeken. Hij doet onderzoek naar een paar van onze miniaturen. Enfin, brengt u hem mijn hartelijke groeten over.'

Dus die miniatuur kwam hier vandaan. Waarom had David dat niet gezegd? En belangrijker nog: er waren er blijkbaar nog meer.

'Dat zal ik doen,' beloofde Ella.

'Wandelt u gerust nog wat door het park,' zei de hertogin, iets toeschietelijker. Ze wenste haar nog een prettige dag en liep met trage passen van haar weg, omringd door haar drie honden. Midden op de brug stak ze zonder zich naar Ella om te draaien nog even haar hand omhoog. Ella zwaaide terug, maar dat werd niet opgemerkt.

In de auto haalde ze de thermosfles koffie tevoorschijn en ook de broodjes die ze bij het ontbijt in haar tas had gestopt, een gewoonte uit haar studententijd die ze nog altijd niet had afgeleerd.

De moeder van de hertogin was tot over haar oren verliefd geworden op haar jongste dochter, had David verteld. 'Begrijpt u nu zoiets?'

Ella had niet geweten wat ze daarop moest antwoorden. Uiteindelijk kon ze alleen Mme de Sévigné in de strijd werpen. 'Die was ook nogal excessief met haar moederliefde. Haar brieven leken eerder voor een minnaar dan voor een dochter bestemd.'

Er was voor het eerst een stilte gevallen in hun gesprek. Mocht ze soms geen kritiek hebben op Mme de Sévigné? Ze probeerde van onderwerp te veranderen, maar David zette nog even door. 'En waar kwam dat exces aan moederliefde volgens u vandaan?'

'Geen idee,' schokschouderde Ella. 'Misschien omdat ze op haar vijfentwintigste al weduwe was geworden en al haar liefde op haar dochter richtte? Geen pretje voor haar, lijkt me. Het moet haar seksuele autonomie in gevaar hebben gebracht.'

David had haar zo verbluft aangekeken dat ze in de lach was geschoten.

'Ach, het zijn toch vooral precieuze brieven,' sputterde hij tegen, 'dat was nu eenmaal de stijl in de zeventiende eeuw. Freud was nog niet geboren.'

'Dus u zou dergelijke brieven wel van uw vader willen krijgen?' vroeg Ella.

'O nee, dat beslist niet!'

'Wat voor zonen geldt, geldt ook voor dochters. Althans, laten we daar voor het gemak maar even van uitgaan,' antwoordde ze iets feller dan bedoeld.

'Goed, goed,' suste hij, 'dus een moeder mag niet te veel noch te weinig van haar dochter houden. Beetje lastig manoeuvreren dus.'

Ella knikte. 'Volgens Freud is de moeder ofwel een verliefde Demeter, die te veel van haar dochter houdt, of een Clytaemnestra, die juist geen liefde voor haar dochter

Elektra kan opbrengen, maar met haar concurreert en ook met haar geliefden flirt.'

'En de derde positie?'

'Jocaste, de moeder van Oedipus én van zijn dochter Antigone, incest dus. Ze stortte haar kinderen onwetend in het verderf. Je kunt het als moeder bij Freud nooit goed doen.'

'Maar Mme de Sévigné is dus de Demeter van Frankrijk?'

'Hmm.'

'En uw moeder?'

'Pardon?'

Maar er was iets in zijn blik wat haar aanspoorde verder te vertellen. En de drank natuurlijk, die maakt nu eenmaal loslippig. Dus vertelde Ella dat haar vaders sterfbed de verhouding tot haar moeder nogal ingewikkeld had gemaakt. Ze vertelde ook dat ze het gevoel had dat dit de rouw om haar vader in de weg stond. Elke keer als ze aan haar vader dacht, schoof haar moeder ervoor, alsof ze hen niet als twee afzonderlijke personen kon of mocht zien.

'Dat zie je wel vaker bij lange huwelijken,' zei David.

Misschien, had ze aarzelend geantwoord. Maar haar moeder was sinds haar vaders dood erg veranderd. Haar hartelijkheid en spontaniteit, op slag verdwenen.

'In een crisissituatie komen vaak oude angsten naar boven.'

Ja, had ze geknikt, maar de afgelopen tijd meende ze ook bepaalde patronen uit haar jeugd te herkennen, sommige uitdrukkingen en gebaren van haar moeder. Ze kon het niet goed uitleggen, laat staan de dubieuze rol die haar vader bij dit alles gespeeld had. Hij was een getergde man, liefdevol, maar ook driftig en hardhandig. Daar had iedereen onder geleden, zeker ook haar moeder. Ach, en het schoot maar niet op, had ze verzucht. Het was soms net alsof het ontrafelen van de verhouding tot haar ouders te groot en onheilspellend voor haar was.

'O, maar het duurt een heel leven om je ouders te dragen,' had David gezegd.

*

Na een laatste blik op het kasteel reed Ella van de parkeerplaats weg. Ze liet de donkere bossen van de Morvan achter zich, het uitzicht verruimde en bolde op naar de horizon. Aan het eind van de middag had ze met een Franse kasteeleigenaar afgesproken, alweer één, in de Bourgogne waren ze nauwelijks te omzeilen. Maar ook zij zagen zich genoodzaakt om af en toe een hoekje van het onroerend goed als gîte of chambre d'hote te verhuren.

De gîte die Ella voor twee dagen ter beschikking was gesteld bevond zich in de voormalige oranjerie van een achttiende-eeuws kasteel dat als wijndomein werd geëxploiteerd. De hoge ruimte met de boogvormige vensters had er op internet aanlokkelijk uitgezien.

In het dashboard begon een oranje lichtje te branden dat ze nooit eerder had gezien. Ze trok aan het handvat van het portier en aan dat van de deur naast haar, maar greep daarbij net iets te hard in het stuur, waardoor de Volvo de berm in slipte. De wielen vonden niet meteen grip in de modder, tolden een paar keer suizend in het rond, maar gleden daarna goddank de weg weer op. Het oranje lichtje brandde nog steeds. Ze zou straks in de gîte het instructieboekje raadplegen.

Ze wilde er ook een paar brieven schrijven, vooral aan Tobias, die ze erg miste. Ze gunde hem zijn Amerikaanse avontuur, maar ze vond het ook moeilijk, omdat ze weinig contact had met zijn vader. Twaalf jaar geleden waren ze gescheiden, en sindsdien hadden ze elkaar nooit meer gezien. Bernt was naar Boston verhuisd, ze hadden alleen af en toe gemaild, over de verdeling van de vakanties, studiekosten, praktische zaken.

Een paar weken voordat Tobias naar zijn vader in Boston zou vertrekken waren ze samen naar Rotterdam gegaan, waar Ella een praatje bij de opening van een expositie moest houden. Ze hadden koffiegedronken in Hotel New York en de plek bezocht waar vroeger de oceaanstomers naar de nieuwe wereld wegvoeren. Tobias stond reikhalzend uit te kijken over het water, terwijl zij alleen maar kon bedenken hoelang ze elkaar niet zouden zien. Toen ze even later voor het beeld van Zadkine stonden en ze iets over dat werk wilde vertellen, had ze maar wat staan stamelen, hetgeen niet veel goeds beloofde voor de lezing later die middag. Tobias, inmiddels een kop groter dan zij, had zijn arm om haar heen geslagen.

Kinderen luisteren niet zozeer naar wat je zegt of doet, dacht Ella, ze luisteren vooral naar wie je bent. Ze nemen haarscherp de gevoelens waar die er achter alle goedbedoelde woorden schuilgaan en reageren daarop. Het afgelopen half jaar had ze vaker gemerkt dat Tobias, hoe opgewekt zij ook deed, toch wel voelde wat er aan de hand was. Hij zei er weinig over, maar hield haar wel in de gaten. Hij vertelde een keer dat hij het jammer vond dat hij zich zijn opa vooral ziek herinnerde, zwijgend met de krant in zijn luie stoel. Van zijn fameuze grappen had hij maar weinig meegekregen.

Ella dacht terug aan het gesprek met David en haar ergernis over Mme de Sévigné. Misschien kwam die wel voort uit haar eigen behoedzaamheid om Tobias niet te veel met haar liefde te belasten. Ze zorgde er heel bewust voor dat ze hem niet te vaak noch te innig omhelsde, niet te vaak noch te weinig opbelde, niet te lovend deed over zijn schoolprestaties en niet alles meteen maar goedvond.

Ze gaf zelden toe aan een spontane oprisping. Ze was veel te beheerst, dacht ze, en te krampachtig. Ze dacht te veel na, omdat ze niet dezelfde fouten wilde maken als haar ouders.

Ze reed door Salornay-sur-Guye, waar de uitgedunde middenstand de winkelpanden knalgeel had geschilderd. Nog twintig kilometer van Cluny. Ze rook iets branderigs, duwde de asbak verder dicht, maar ze rook het nog steeds, een vage schroeilucht. Er zou toch niets met de olie zijn?

In het oranje lichtje stond een omgekeerde ypsilon af-gebeeld. Ze had geen idee wat dat kon betekenen. Ze wist alleen dat de letter van Pythagoras in de middeleeuwen ra-zend populair was en symbool stond voor de keuze tussen het pad van de waarheid en de deugd of dat van de zonde en de leugen. Maar op zijn kop? Dat betekende ook iets, geluk, of was het nu juist rampspoed? Als er echt iets ern-stigs aan de hand zou zijn, redeneerde ze met de logica van een kunsthistorica, dan zou er toch wel een rood lichtje gaan branden?

Niettemin nam de schroeilucht toe. Ze graaide in het vak van de deur, op zoek naar het instructieboekje, maar daar zaten alleen oude kaarten in. Ze reikte naar het dash-boardkastje, klikte het open en de cd's, haarspelden en dropjes rolden naar buiten, maar geen Volvo-boekje.

Op een parkeerterrein net buiten het dorp zette ze de motor uit en zocht in alle vakken. Niets. Toen trok ze links naast het stuur aan de hendel die de motorkap ont-grendelde en stapte uit. Ze duwde de motorkap omhoog. Tot zover zag het er reuze handig uit. Helaas had ze met die laatste handeling ook de grens van haar mechanische kennis bereikt.

Ze staarde naar de motor met de vele slangen, reservoirs en buizen eromheen, alsof ze naar de ingewanden van een dode walvis stond te kijken. Het enige wat ze nog kon verzinnen was haar neus vlak boven de motor houden om te ruiken of de brandlucht uit de motor kwam. Het rook inderdaad een beetje branderig, maar niet echt alarmerend. Ze besloot vijf minuten te wachten, zodat de motor kon afkoelen, en dan naar de gîte te rijden. Hopelijk had die kasteeleigenaar behalve van wijn ook verstand van auto's.

Een half uurtje later reed ze door de kasteelpoort een park binnen. Langs de oprijlaan stonden reusachtige beuken en dennenbomen. Uit een hoge duiventil vlogen witte *colombes* af en aan. Het kasteel had een breed bordes met stenen trappen, ernaast schuren en de oranjerie. Ze herkende de hoge ramen van de foto's op internet.

Geroffel op het dak van de auto. Hagelstenen kletterden op haar voorruit. Toen zag ze de eigenaar het bordes op komen, een grote paraplu boven zijn hoofd.

3

Tegen de avond maakte Ella een wandeling in de omgeving van het kasteel, dat omringd was door wijnvelden die
vanaf de oever van de Saône tegen de heuvels op liepen.

Ze stak een klein bos door, waar de hagel als bevroren
poedersuiker onder haar voeten kraakte. Kraaien vlogen
luid krassend uit de boomtoppen weg. Op de grond lagen
bladeren en takken, bedekt met een lichtgroene schimmel. Teken van gezonde lucht, wist Ella.

Ze kwam bij een weiland uit, en volgde het pad in de
richting van de rivier. Onder haar wandelschoenen kleefde vette rode klei. Nog meer wijnvelden, de meeste ran-
ken nog kaal, met hier en daar een toefje wit van de bloesem.

Ze probeerde de schoonheid van het landschap tot zich
door te laten dringen, maar de natuur maakte die namid-
dag vooral een ondoorgrondelijke indruk op haar. Welke
uitwisseling was er ook mogelijk met die kale eikenbo-
men die daar als generfde waaiers langs het veld stonden?

Tussen de wijnstokken schoot een haas weg, zijn oren
plat op zijn rug. Op je hoede zijn, voedsel vinden en uit de
buurt van mensen blijven; dat was de natuur. Een beetje
bij elkaar schuilen, en met z'n allen in een holletje weg-
kruipen en zorgen voor nageslacht, dat ook. De mens
zocht de wildernis op om met zichzelf in het reine te komen, maar niet met de natuur. Want hoe was dat mogelijk

als de natuur, net als God, nooit iets terugzei.

Daarom proberen we met kennis de natuur te veroveren, dacht Ella.

Haar vader kende de namen van vele honderden bloemen en planten uit zijn hoofd. Als ze gingen fietsen in de duinen wees hij ze een voor een aan: kijk, een vogelkers, en daar: een leeuwentand!

Ella probeerde al die namen te onthouden, en legde als geheugensteuntje een herbarium aan. Tussen de grote vellen wit papier legde ze voorzichtig de bloemen en bladeren te drogen en schreef er zo netjes mogelijk de naam, datum en vindplaats onder.

Als ze 's nachts niet kon slapen pakte ze die groene map van haar bureautje. Vergeelde bloemen, een takje lichtpaarse dopheide, bruine eikenbladeren waar de nerven als dikke stiksels overheen kropen. Het was pure vergankelijkheid die tussen haar vingers knisperde – rood bekermos, salomonszegel, speenkruid –, maar toch nam met elke uitgesproken naam het gevoel van veiligheid toe.

De laatste maanden van zijn leven had haar vader zijn interesse voor de natuur verloren; zelfs zijn orchideeën konden hem niets meer schelen. In plaats daarvan had hij zich uitgerekend tot diegene gericht die zelfs door hem niet benoemd kon worden.

Inmiddels kleefde er zoveel klei onder haar schoenen dat Ella besloot om te keren. Ze nam een kortere weg terug naar het dorp. Naast de kerk lag de enige winkel, een bakkerij die ook wat andere levensmiddelen verkocht. Met een tasje vol pasta, tomatensaus, fruit en koffie wandelde ze de kasteeltuin binnen en bleef nog even naar de witte duiven staan kijken.

In de oranjerie gooide ze een paar blokken in de kachel en installeerde zich met een glas wijn en haar schrift voor het vuur. Ze keek naar de pauwenveren en de verzameling antieke vogelkooitjes in de vensterbank, de palmvarens en oude meubels om haar heen. Een mengeling van Bloomsbury en de vlooienmarkt, die haar aan het huis van haar grootmoeder deed denken.

Als ze daar als kind ging logeren, eindigden haar speurtochten altijd op zolder. Ze maakte hutkoffers open en doorzocht kartonnen dozen om iets te vinden, een zilveren rammelaar, een gehaakt kindervestje dat haar een verhaal zou opleveren. Gebogen over de mand met stoofpeertjes zei haar oma dan: 'Ah, dat is nog van voor de oorlog', en begon te vertellen. Dat waren de mooiste uren. Het was haar eindelijk gelukt het zwijgen van haar oma te doorbreken.

Ze hield van zolders, zelfs van de zolder van hun Haarlemse nieuwbouwwoning, hoewel het daar eigenlijk te netjes was. Toch was het de enige plek waar ze nog geheimen of verrassingen hoopte te ontdekken: een doos met brieven of een album met foto's. Toen ze ging studeren en een kamer in Amsterdam had gevonden, had ze haar dagboeken daar ook verstopt. Een paar maanden later kwam ze de rest van haar spullen ophalen, maar haar dagboeken kon ze nergens meer vinden. 'Die oude schriften?' zei haar moeder, toen ze haar ernaar vroeg. 'O, die heb ik weggegooid. Ik kan niet alles voor je bewaren.'

Ook die horde had Ella zwijgend genomen. Al haar gedachten, verhalen en dromen, van haar twaalfde tot achttiende jaar, waren op de Haarlemse vuilnisbelt beland. Meeuwen waren erop neergestreken, hadden in het papier gepikt, op zoek naar iets eetbaars en de bijtende, witte vlekken van hun uitwerpselen erop achtergelaten.

Ze schonk zichzelf nog een glas wijn in en gooide nog meer houtblokken op het vuur. Ze dacht aan haar wandeling en de duiventil in het park. Ze had ook witte duiven gehad. Het waren volgens haar vader de enige huisdieren die een vrij leven konden hebben. Ella sloeg haar schrift open. Ze was gek op die vogels geweest, maar het was niet goed met ze afgelopen.

4

Het zijn de laatste dagen voor de zomervakantie. We liggen languit over onze tafeltjes te kletsen, want we mogen 'iets voor onszelf' doen. De zon vangt door de hoge ramen van het leslokaal de neerdwarrelende lesstof in brede lichtbanen op.

De bel gaat en we hollen het speelplein op. Om ons heen de geur van rozenbottelstruiken. Ik vertel aan Annemiek dat ik de camping mocht uitzoeken. Helemaal in het zuiden, want vorig jaar moest mijn vader steeds geulen graven om het regenwater op te vangen. Ook was er naast ons een man in de fik gevlogen. Die had spiritus op zijn barbecue gegooid, omdat zijn houtskool nat was geworden. 'Maggi erop!' had zijn vrouw geroepen, waarna mijn vader zei dat ze misschien dacht dat hij zelf ook een worst was.

We lopen langs de berm vol margrieten. Annemiek plukt een bosje voor haar moeder, maar ik niet, want ik moet de hele tijd aan de vakantie denken en of de camping wel leuk genoeg zal zijn. Als we bij het kruispunt komen, steken de jongens van de andere school dreigend hun pijltjesbuizen omhoog.

We rennen snel het kruispunt over. 'Hé rooie!' hoor ik achter mij en voel een klap tegen mijn rug. Ik grijp Annemieks arm vast en samen hollen we de supermarkt binnen. Pas als we voorbij de koelvitrines zijn, durven we achterom te kijken; ze zijn ons niet naar binnen gevolgd.

De man van de winkel schrijft onze telefoonnummers op en loopt ermee naar zijn kantoortje. We wachten, Annemiek is op de grond gaan zitten, het bosje bloemen ligt verlept op haar schoot. Dan zie ik de vader van Annemiek bij de schappen koffie en thee opduiken, mijn vader was blijkbaar niet thuis. Hij maakt een flauw grapje over boodschappen doen, hij weet niet echt wat grappig is. Annemiek valt hem snikkend in de armen.

We steken de straat in van mijn huis, en ik zeg dat ik wel achteromloop, maar Annemieks vader loopt naar ons huis en belt aan. Ik mag niet bij de voordeur aanbellen, maar hij houdt zijn vinger heel lang op de bel gedrukt.

Dan zwaait de deur open.

'Wat een toestand,' zegt mijn moeder.

Dan richt ze zich tot mij: 'Waarom ben je niet linea recta naar huis gekomen?'

Ik kijk naar Annemiek, ze lijkt een beetje op een konijn, met die grote bange ogen, en ik stap snel naar binnen. 'Tot morgen!' roep ik zo vrolijk mogelijk.

'Zodra je vader thuis is, zullen we het erover hebben!'

Languit op bed lig ik naar het plafond te staren. Mijn vader heeft een visnet voor me opgehangen, met glazen bollen en kurken boeien erin. Hij kan alles maken, maar als hij van zijn werk thuiskomt wil hij geen gezanik aan zijn hoofd en is hij net zo ontvlambaar als die man op de camping. Als mijn moeder dan begint te zeuren, probeer ik het gesprek van haar over te nemen, alsof ik een springtouw van de grond raap. Ik buig de woorden om tot iets grappigs of kom met een goed cijfer op de proppen.

Ik kijk de tuin in of ik mijn witte duiven al zie. Ze hebben vorige maand twee jongen gekregen en vliegen de hele dag af en aan met voedsel. Mijn vader heeft in het schuurtje een hok getimmerd met een opening naar het buitenhok. Zo kan ik mijn duiven hun hok in en uit zien gaan en soms hoor ik ze ook vlak boven mijn raam in de dakgoot koeren.

Meestal zijn ze rond deze tijd druk bezig de avondmaaltijd bij elkaar te scharrelen, maar nu zie ik ze nergens. Misschien zijn ze aan het voeden. De kuikens zagen er eerst nog kaal en sprieterig uit, maar nu zijn ze prachtig geworden. Over een poosje zullen ze van hun ouders leren vliegen, zegt mijn vader, en dat kan ik dan ook vanaf mijn kamer zien. Ik speur de daken van de huizen aan de overkant af, maar mijn duiven zijn nergens te bekennen.

Mijn blik valt op het schuurtje. Het buitenhok is zwart vanbinnen. Ik kijk nog iets beter en zie dat er witte vlekken achter het zwart zitten, die van vorm veranderen.

Het zwart ervoor beweegt.

Met twee, drie treden tegelijk storm ik de trap af naar beneden en schiet de keuken in. Mijn moeder staat voor het aanrecht. Ik houd mijn pas in, overweeg of ik iets zal zeggen, maar ren dan toch alleen de tuin in.

'Waar ga je heen?' roept mijn moeder.

Halverwege het tuinpad blijf ik staan. Ik zie hoe de zwarte kater van de buren van het buitenhok op het platte dak springt en naar de lage schutting aan de zijkant loopt. Hij heeft iets gedaan, ik weet het zeker. Ik kan het zien aan zijn kop, en aan hoe hij zijn oren platlegt en zijn rug naar beneden houdt, hoe hij over het dak wegsluipt, dat stomme beest.

Heel langzaam loop ik door naar het schuurtje. Ik ben me bewust van elke stap die ik op de grijze tuintegels zet. Ik tel de tegels tot aan de schuur. In de glazen schuurdeur zie ik mijn gezicht, wit en groezelig als een spook.

'Tafeldekken!' roept mijn moeder vanuit de keuken.

Ik pak de deurklink vast en voel het koele metaal in mijn handen. Dan duw ik de klink naar beneden en trek de deur open; ik ruik de klamme geuren, hout vermengd met olie, verf met duivenpoep.

Ik doe mijn ogen dicht en zet mijn beide voeten op de drempel. Geen gepiep, geen gefladder, ik hoor helemaal niets. Langzaam draai ik mijn hoofd naar het binnenhok, maar houd mijn ogen nog gesloten. Ik denk na over het ontbreken van geluid, en de smalle opening tussen binnen- en buitenhok. Daar kan toch geen kat doorheen?

'Ella, hoor je me?'

Met één blik overzie ik de ravage: bloed, veren en pluis naast twee half opgegeten duivenjongen; hun koppies met de grote kraalogen zijn verdwenen. Alleen hun onderlijfjes met de pootjes stijf omhoog liggen er nog. Ik vlucht naar buiten.

'Ben je doof geworden?' roept mijn moeder als ze over het tuinpad naar me toe komt lopen. Ik zie haar blote voeten in de sandalen, de roze gelakte nagels en het onderste stukje van haar rok.

De voordeur valt met een klap in het slot; mijn vader is thuis. Ik ren naar hem toe. Hij staat in de keuken en pakt een biertje uit de koelkast.

'De duiven,' zeg ik, 'de jonge duiven...'

Mijn vader loopt met grote stappen de tuin in. Dan hoor ik hem vloeken, en schiet ik de trap op naar boven. Ik laat me op mijn bed vallen en leg het kussen op mijn hoofd.

Tot we op vakantie gingen heb ik in de tuin met de bus voer staan rammelen, maar de ouders van mijn duivenjongen lieten zich niet meer zien. Mijn vader maakte het hok schoon.

'Het is de natuur,' zei hij, 'daar kun je niks aan doen.'

5

Aan: Tobias Brakhoven
Onderwerp: Feest!
Van: Ella Theisseling

Lieve Tobias,

Je was de eerste die me vanmorgen feliciteerde, wat knap is, aangezien je het verst in ruimte en tijd van me verwijderd bent. Op de voet gevolgd door Reindert, die op dit moment in een oude bierbrouwerij in Berlijn exposeert, in een jeugdherberg slaapt en voortdurend bang is dat zijn spullen gestolen worden, maar het verder goed maakt en je veel groeten doet. Ter ere van mijn 48e verjaardag kocht ik vanmorgen bij de bakker in het dorp een verse croissant en een hele hazelnoottaart, waar ik om de zoveel uur een punt van afsnijd, zodat het hier eigenlijk de hele dag feest is.

Nu zit ik met een bijna lege fles Mâcon-wijn, die de eigenaar van de gîte mij vanmorgen voor mijn verjaardag overhandigde. Het is de *cuvée spéciale* van zijn lichtrode landwijn, maar nog altijd een beetje zuur. Wél is hij biologisch geproduceerd, dus hopelijk migrainevrij. Het is nu al diep in de nacht en mijn verjaardag is eigenlijk alweer voorbij, maar ik rek de uren samen met jou nog wat op.

Eergisteren ben ik hier aangekomen, en sindsdien

brandt de kachel dag en nacht. Ondanks de stapels hout-blokken die ik op het vuur gooi en de twee oude paarden-dekens die ik om me heen heb geslagen, is het niet bepaald warm te noemen. Daaronder heb ik zo'n beetje alle truien en vesten aangetrokken die ik bij me had en ben ik boven op de kachel gekropen.

Jean-François de Savourin, de kasteeleigenaar dus, een aardige maar wat zonderlinge man, die als het even niet regent in driedelig kostuum op zijn tractor zit, vertelde dat hij deze kou in dertig jaar nog niet heeft meegemaakt. Het Saônedal zou juist een warmer klimaat dan de rest van de Bourgogne moeten hebben, omdat de rivier de war-me lucht vanuit de Méditerranée tot hier zou aanvoeren, maar daar hebben we dus nog maar weinig van gemerkt. Hij vreest vanwege de nachtvorst vooral voor de oogst van zijn pinot noir.

Ik verblijf hier in een verbouwde oranjerie, zoiets als de Hortus in Amsterdam, maar dan wel iets kleiner natuur-lijk, gevuld met negentiende-eeuwse meubels, metersho-ge planten, jasmijn- en zelfs sinaasappelbomen en een he-melbed er pal middenin. Nu begrijp ik pas waar die hemel voor dient: het houdt de warmte eronder vast en dat is ze-ker geen overbodige luxe. Als ik niet op de kachel zit lig ik onder die hemel te lezen.

Behalve het kasteel en het dorp heb ik nog niet zoveel van de omgeving gezien, ik ben zelfs nog niet in Cluny ge-weest, omdat de auto bij de garage in Mâcon staat. Er is iets mis met de brandstofinjector of de lambdasonde in de uitlaat. Ik begreep er niet veel van, maar er begon een oranje lampje te branden op het dashboard, met een omge-keerde ypsilon erin, althans dat dacht ik, maar het bleek dus de Griekse L oftewel de lambda te zijn. Klassieke ta-len zijn nooit mijn sterkste punt geweest. Hopelijk krijg ik morgen een telefoontje dat het onderdeel er is en de auto gerepareerd kan worden, want in dit dorp is niet veel te beleven. Er staat een kerk en er is een bakker, en dan heb je het wel gehad.

De kasteeleigenaar houdt colombes, van die mooie witte duiven met glanzende vleugels; ik heb vroeger precies dezelfde duiven gehad. Soms maak ik een wandeling naar de rivier, waar de kale wijnstokken met legioenen tegelijk de heuvels bestormen. Verder lees ik veel en probeer wat te werken. Ik moet nog een recensie over 'het sacrale in de kunst' schrijven en meer van dat soort kleine klussen.

Ik houd zowaar ook een reisverslag bij en probeer daarin ook wat herinneringen aan vroeger op te schrijven, aan de zomers in de Gard, hetgeen niet altijd een goede invloed op mijn humeur heeft. Maar het leven kan 'alleen achterwaarts worden begrepen', zoals Kierkegaard schreef, dus ik zal er toch aan moeten geloven. Hoewel ik niet bijster opgetogen raak van al dat achterwaartse, heb ik de indruk dat ik via die omweg toch weer een paar stappen voorwaarts zal kunnen zetten.

Het gekke is dat mijn herinneringen, zodra ik ze heb opgeschreven, de neiging hebben ervandoor te gaan, alsof de taal ze als ervaring laat verdampen. Ik houd dan alleen mijn eigen woorden nog over, als je begrijpt wat ik bedoel, en kan niet meer goed naar de herinnering erachter grijpen. De taal heeft dus, net als foto's, de neiging de plaats in te nemen van datgene waarnaar ze verwijst. En stel je nu eens voor dat ik de verkeerde woorden kies, wat zijn daar dan de gevolgen van? Een interessante taalfilosofische kwestie, die verhouding tussen taal, bewustzijn en herinnering, waarover jij bij je colleges neurolinguïstiek ongetwijfeld meer te horen zult krijgen, maar ik ben er nog steeds niet goed uit wie nu precies de baas is over wie.

Hoe bevalt je Amerikaanse studentenleven? Heb je al vrienden gemaakt in Boston? Dat zal je gemakkelijker afgaan dan mij destijds in Parijs. De eerste weken van mijn verblijf sprak ik alleen de man van het krantenstalletje op de hoek, ik heb hem vorige week nog gezien. Het gaat niet goed met hem, hij is boos dat de aanslagen op alle moslims afgewenteld worden.

Toen ik in Parijs studeerde leerde ik pas na enkele maanden Anne kennen, maar zij kwam uit Bretagne. Het is me nooit gelukt met een 'echte' Parijzenaar vriendschap te sluiten; het blijft toch een beetje een gesloten bolwerk.

Hoe is het om nu bij je vader te wonen? Stuur me eens wat foto's op. Ik mis je wel, hoor. Goed, dan sluip ik nu met de laptop naar buiten, want er is alleen op het bordes voor het kasteel bereik. Pas goed op jezelf, doe geen dingen die je moeder ook niet gedaan zou hebben, en stuur me nog eens een wat langer bericht.

Veel liefs, Ella

*

Een ijzige wind op het bordes. Ella drukte snel op 'verzenden' en liep tastend in het donker weer terug. Het schijnsel van het beeldscherm belichtte de treden onder haar, haar rug gekromd onder het gewicht van die paardendeken, haar hoofd gebogen, als een heks die midden in de nacht kruiden voor haar toverbrouwsels zoekt.

Binnen gooide ze nog wat houtblokken op de kachel, deed beide deuren op slot, barricadeerde ze met een paar stoelen en opende de tweede fles cuvée spéciale die ze van de eigenaar cadeau had gekregen, het was per slot van rekening haar verjaardag. 'Vier uw feestdagen!' Dat zou ze zeker doen, met een extra glaasje zure wijn van haar excentrieke kasteelboer.

Ze herlas de mail die ze aan Tobias had verstuurd. Wat

134

autoprobleempjes, beschrijving van de gîte en iets on-schuldigs over herinneringen – niets voor Tobias om zich zorgen over te hoeven maken. Het was een prima brief, al zei ze het zelf.

Kinderen moeten zich ook geen zorgen maken over hun ouders, dacht ze, terwijl ze een sigaret opstak. Die zorgen komen later wel, als ze zelf kinderen of banen of hypotheken krijgen. En ouders hoeven hun kinderen alleen maar te troosten en hun angsten weg te nemen, dat is alles. Ze hoeven alleen voor voldoende licht te zorgen, en voor wat water en voedsel, hier en daar een denkbeeldige grens op-werpen, zodat ze kunnen groeien als die reusachtige dra-kenbomen om haar heen. En liefde, natuurlijk.

Ze dacht aan haar duiven. Op die bewuste zomerdag was er iets met haar gebeurd. Het was het moment dat ze haar moeder in de keuken passeerde, en besloot haar zor-gen niet met haar te delen. Het was waarschijnlijk iets in de houding van haar moeder geweest, die gebogen over het aanrecht stond, de kromming van haar rug of de klank van haar stem. Ze had even geaarzeld, dat wist ze nog goed, maar was toch alleen de tuin in gerend, hoewel ze ver-moedde dat ze te jong was om datgene te gaan zien waar-voor ze vreesde.

Wat voor kleren had ze aan? Iets blauws, meende El-la, een blauw bloesje met een korte broek eronder, blauw met wit gestreept. Halverwege de tuin was ze stil blijven staan. Ze zag opnieuw het bewegende zwart in het buiten-hok, met de dansende witte vlekken erachter, voelde de aarzeling, het haperen van haar vermogen om dat beeld meteen op begrip te brengen. Toen de kater die met een le-nige sprong uit het hok op het platte dak sprong. Met haar kattenliefde was het voorgoed gedaan.

Waarom was ze alleen dat schuurtje binnengegaan? Ze was op die bewuste dag een weg ingeslagen die ze de rest van haar leven zou blijven vervolgen. Ze moest die weg op eigen kracht afleggen en lange tijd was ze daar nog trots op ook. Ze zou niet om hulp vragen, want er was geen hulp, ze vocht en werkte en huilde liever alleen.

Ella dronk haar glas leeg en schonk het meteen weer vol. Een verlangen naar mateloosheid bekroop haar. Ze wilde dronken worden. Ze was immers nog steeds jarig. Het was hier nog altijd feest.

Met de jaren was die weg zich steeds meer gaan versmallen. Het was een holle weg geworden, uitgesleten door haar eigen voetstappen. Een leven waarin de eenzaamheid de zwaarbevochten vrijheid steeds vaker inhaalde. Misschien, dacht Ella, was ze wel op reis gegaan om eindelijk eens een andere weg te overwegen.

Vier uw feestdagen! Ondanks de wijn had ze het nog steeds koud. Buiten vroor het zeker tien graden. Ze pakte ook de andere paardendeken van de sofa en legde die over haar benen. In hoge kamers kun je beter denken, had ze eens gelezen, maar warm stoken viel nog niet mee.

'Proost dan maar,' zei ze hardop tegen zichzelf. Ze keek naar de met stoelen gebarricadeerde deuren, voor het geval er deze nacht nog iemand aan haar deur wilde gaan morrelen. De eigenaar misschien, verkleed als Britse *landlord* en hopend op de gunstige uitwerking van zijn wijn, of anders die gesjeesde vriend van hem, die gisteren in een Porsche aan kwam rijden. Hij stelde zich voor als een boeddhistische consultant 3.0, hetgeen misschien naar de sterkte van zijn brillenglazen verwees, maar zeker niet naar een nieuwe wereldvisie.

Ella sloot haar ogen en voelde de nacht zwaar op haar schouders rusten. Nacht zonder sterren, zonder stemmen, zonder geluid. Ze moest een andere weg inslaan, maar welke dan? Ze hief haar glas naar de ficussen en drakenbomen die als stille wachters rond haar stonden opgesteld. 'Als jullie het weten, mogen jullie het zeggen,' lalde ze. 'Ik kan even niet meer zo helder denken, hoge ruimtes of niet.'

Ze sloeg haar schrift open, las de laatste regels over en begon te schrijven. Razendsnel schoot haar pen over het papier, als om die ene, onverkwikkelijke scène voor te blijven, de teugels in handen te houden, het noodlot om te keren. Met een paar woorden. Hopla! Een paar rake zinnen zouden haar wel kunnen redden. Weer reikte haar hand naar de fles en schonk ze haar glas bij.

Na een poosje gooide ze het schrift dicht. Ze kon niet meer. Ze kon niet meer schrijven, niet meer denken, ze was veel te moe. Toch sloop er nog een handvol woorden vanachter de hoge varens tevoorschijn en hoorde ze ineens haar moeders stem in haar oor: 'Mij heeft hij nooit geslagen!'

Ella maaide met haar hand naar achteren. Roes wilde ze, vergeten wilde ze, zichzelf op de eerste plaats. Vooral de rol die ze jarenlang gespeeld had, als kleine soldaat met een onmogelijke vredesmissie, haar oren gespitst op elke agressieve ondertoon, haar ogen gericht op elke vijandelijke beweging. Eeuwig op haar hoede. Haar broer was slimmer. Die liet alle ruzies gewoon langs zijn koude kleren afglijden. Maar zij dacht dat ze de zaak wel eventjes vlot zou trekken, tien, twaalf jaar oud, met haar goede cijfers op school, haar leuke tekeningen en de knullige stukjes op de piano met kerst.

'Proost Elektra, wier rouw haar niet zal sieren,' riep ze tegen de jasmijnboom. Hij zei niets terug, maar liet wel een geel blaadje naar beneden dwarrelen. Ze reikte naar voren, om het in haar schrift te stoppen, welja, ze kon in deze oranjerie ook wel een leuk herbarium gaan aanleggen, en zakte toen weer terug in de stoel.

Elektra's rouw schonk haar geen verlossing, hoezeer ze daar ook naar snakte. En ook geen liefde, want het was altijd weer de waarheid die haar in de weg stond. Ze leed aan waarheidspijn, die genadeloze lichtbrengster. Ze dacht dat de waarheid het hoogste goed was en dat ze daarvan gelukkig zou worden. Maar dat was niet zo. Tegenslagen verduren en vreugdevol voorwaarts trekken: dat was geluk volgens sommigen. Voor de blijmoedigen is het altijd feest!

Ella stond op, liep naar de pauwenveren en gleed met haar hand langs hun fluwelen ogen. Toen opende ze een voor een de lege vogelkooitjes in de vensterbank. Een beetje drama, een snufje symboliek, maar helaas was zij niet de actrice van de familie. Ze gooide nog een houtblok op het vuur en stak een sigaret op. Houtkachels kregen zo'n hoge ruimte dan wel niet warm gestookt, maar je kon er godzijdank wel ongestraft bij roken.

Uitgeput viel ze met haar sigaret tussen de kussens op de sofa.

'En waar is Eva gebleven?' riep ze tegen de drakenbomen, die met hun grote, gevingerde bladeren roerloos om haar heen stonden. 'Iemand enig idee?'

O, eenzaamheid, dacht ze, o, eenzaamheid onder deze glazen stolp. Is het mogelijk dat we al duizenden jaren dezelfde rondjes lopen, dezelfde hordes nemen, dezelfde slagen uitdelen? Ja, dat is mogelijk. Is het mogelijk dat ouders te veel of te weinig van hun kinderen houden? Ja, ook dat is mogelijk.

Is het mogelijk dat we fout op fout, dood op dood, verdriet op verdriet stapelen en niets leren en nog steeds niet weten hoe we moeten leven? Hoe we moeten liefhebben? Is het mogelijk dat de genade uitblijft, dat pijn doorgegeven wordt en de liefde binnen een gezin niet overwint? Ja, ja, dat is allemaal mogelijk.

Ze schonk het laatste restje van de wijn in en dronk het

in één teug leeg. Ze griste haar schrift van de grond, stond op en ging vlak voor de kachel staan. Ze keek naar de vlammen, die gretig van de houtblokken likten en voelde de hitte in haar gezicht slaan. Toen gooide ze de sigaret in de houtkachel, zette de zeven stappen naar het hemelbed en liet zich languit voorovervallen.

6

De hoge ficussen voor de ramen filterden het ochtendlicht tot een grijsgroene waas. Ella lag met bonkende hoofdpijn op haar hemelbed. De ruimte om haar heen had de kleur van een aquarium aangenomen. Zij was de blauwe vis die onder een stapel dekens probeerde te lezen, en nog altijd rilde van de kou.

Na twee aspirines met lauwe thee te hebben ingenomen probeerde ze de aantekeningen die ze de vorige avond als een bezetene in haar schrift had gekrabbeld te ontcijferen. Haar gepriegel was nauwelijks leesbaar, maar toch wist ze heel goed welke scène ze had neergepend.

Het was de laatste keer dat ze bij haar moeder op bezoek was geweest, een maand na het overlijden van haar vader. Een mooie, zonnige herfstdag in oktober, de thee en de schalen koekjes en chocola stonden al klaar.

'Pak maar lekker,' zei haar moeder. 'Het staat ervoor.'

Ella wilde vragen waarom ze haar niet had gebeld om te vertellen over dat inslaapmiddel dat ze pa gingen toedienen en zij meteen de trein had kunnen nemen om bij haar vaders overlijden te zijn. Ze zat al een half uur tegenover haar moeder op de bank heen en weer te schuiven, graaide nog maar eens een chocolaatje van de schaal, en wist niet hoe ze moest beginnen. Ze was bang dat er een natuurramp zou plaatsvinden zodra ze haar moeder een verwijt zou maken of een kritische vraag zou stellen.

Reindert zat in haar vaders leesstoel met de krant, wat ze ook ingewikkeld vond; het gemak waarmee hij in die stoel was neergeploft, en nu met veel gekraak de bladzij omsloeg.

Dat gekraak voerde haar terug naar het ziekenhuis, waar haar vader tijdens de laatste wedstrijd die ze samen keken om het sportkatern had gevraagd. Het lukte hem echter niet om de juiste pagina op te slaan. Hij was zo driftig geworden dat hij de krant tot een prop had gekneed en met een woedende kreet op de grond had gesmeten. Daarna was hij uitgeput terug in de kussens gezakt, zijn ogen gesloten, zijn gele, vermagerde handen op het witte laken.

Ella had de prop van de grond geraapt en was ermee naast zijn bed gaan zitten. Haar vader was in slaap gevallen. Zijn gebitsloze mond hing open. Er zaten grijze stoppeltjes op zijn kin en zijn voorhoofd zat onder de vlekken. Daar lag haar vader, met zijn dodenmasker al op. Ze had nog een poosje naar hem zitten kijken. Toen was ze opgestaan en was naar het kamertje met de verpleegarts gelopen.

'Ik begrijp niet waarom je me niet gebeld hebt,' flapte Ella eruit.

'Ik heb je wel gebeld!' zei haar moeder. 'Gisteren om een uur of vijf. Ben je dat nu alweer vergeten?'

'Niet gisteren, maar toen pa in het ziekenhuis lag.'

'Toen pa in het ziekenhuis lag?' herhaalde haar moeder hogelijk verbaasd.

'Ja, toen jullie hadden besloten om hem te laten inslapen, zonder met mij te overleggen.'

Haar moeder sperde haar ogen wijd open. 'Jij zat in Parijs! Natuurlijk hebben we geprobeerd je te bellen, maar je was onbereikbaar.'

'Ik heb geen gemiste oproepen gezien.'

'Er was geen tijd om maar te blijven bellen, dat vonden

de doktoren ook, pa was veel te onrustig.'

'Ik had toch meteen de trein kunnen pakken en er binnen een paar uur kunnen zijn.' Ella probeerde de lichte paniek in haar stem te beheersen.

'Er was geen tijd, zeg ik je, bovendien waren we allemaal vreselijk moe. Dan had je maar niet naar Parijs moeten gaan.'

Natuurlijk had ze beter niet naar Parijs kunnen gaan. Wat kon zo'n arts nu weten? Maar dan, die kracht in haar vaders armen toen hij die krant neersloeg, de energie die het moest hebben gekost om nog zo driftig te worden, dat was toch geen stervende man? Het kon nog weken duren, had de arts gezegd, waarna hij haar een bemoedigend klopje op haar schouders had gegeven. 'U mag van mij gerust een paar dagen weg.' Twintig jaar jonger dan zij, maar toch al glansrijk de rol van autoriteit spelend.

Haar moeder keek haar argwanend aan. 'Hij riep de hele tijd om je.'

'Wat?' zei Ella geschrokken. 'Maar hoe kon ik dat nu weten? Waarom heb je me dan niet gebeld?'

Haar moeder wapperde met haar hand, alsof ze het onderwerp de kamer uit wilde wuiven. 'We hebben alles in nauw overleg met de doktoren gedaan,' zei ze, 'ik zou niet weten wat daar verkeerd aan is.'

Ella zakte achterover in de bank. Ze kon exposities openen, lezingen voor volle zalen houden, cursisten door alle musea van de wereld leiden, maar tegen haar moeder had ze geen verweer.

Haar moeder pakte iets uit haar tas en reikte het haar aan. 'Kijk eens,' zei ze. 'Dit is voor jou. Uit de erfenis van pa.'

Ella opende het doosje. Het zilver van de broche was verkleurd, maar de parel in het midden was nog glanzend wit.

'Van oma?'

Haar moeder knikte. 'Ja, die heeft ze bij haar verloving van haar moeder gekregen.'

Ella keek naar de broche. Haar grootouders waren eenvoudige mensen. Haar opa was een fervent socialist, die schold op de heren van het grootkapitaal, haar oma was een statige, zwijgzame vrouw. Over de grootouders van haar vader wist Ella niets.

'Wie was zijn oma eigenlijk?' vroeg ze.

'O, daar werd niet over gesproken. Neem nog een koekje. Je moet echt iets eten, Ella. Je ziet er vreselijk moe uit.'

Al jaren zag ze er volgens haar moeder vreselijk moe uit. Ella pakte nog een biscuitje. 'Maar waarom dan niet?'

Haar moeder schoof op haar stoel. 'Dat was een schande.'

Reindert liet zijn krant zakken en keek boven zijn leesbril naar haar moeder, die mokkend voor zich uit staarde.

'Hoezo een schande?' vroeg Ella.

'Omdat ze een bastaard was.' Haar moeder sprak het woord met onverholen weerzin uit en vloog toen overeind. 'Nou, genoeg gekletst, ik ga een lekker glaasje wijn inschenken.'

'Wacht nou even,' zei Ella. 'Hoe kwam dat dan?'

Haar moeder liet zich met tegenzin weer in haar kuipstoeltje vallen. 'Ik weet het ook niet precies,' verzuchtte ze. 'Maar haar moeder, dus eh... eens even denken, de overgrootmoeder van je vader dus, werkte als kindermeisje bij een Franse familie, en nou ja, zo is het dus gekomen en meer weet ik er ook niet van.' Ze stond op.

'En daar is ze zwanger geraakt?' vroeg Ella. 'Maar van wie dan?'

'Ja, van die Franse graaf of baron, of wat het dan ook geweest mag zijn,' antwoordde haar moeder. 'In ieder geval is ze met een dikke buik naar Nederland teruggekomen.'

'Dus ik ben het achterkleinkind van een Franse baron?' vatte Ella het gesprek samen. Al sinds haar kindertijd had ze de indruk dat ze elk flintertje informatie uit haar moeder moest trekken. Ze kon niet vertellen, of wilde niet vertellen, ze had er het geduld niet voor. Ze gaf bijna niets prijs van zichzelf, waardoor het Ella nooit goed lukte om erachter te komen wie zich nu eigenlijk schuilhield achter de vrouw die zich met ongekende ijver op het huishouden stortte.

'Had ik het niet gedacht!' zei Reindert. 'Vandaar die trotse houding van je, en die voorname manier van lopen.'

Ella zuchtte. Behalve dat haar als kind was verteld dat ze een 'vondeling' was, een flauwe grap van haar vader, kwam er nu ook nog een Franse baron om de hoek zetten. 'Ma, weet je dit wel zeker?' riep ze tegen haar moeder, die met een fles wijn en drie glazen kwam aanzetten.

'Jullie moeten deze wijn eens proeven,' zei ze. 'Heb ik van dat zaakje hier om de hoek, voor de helft van het geld.'

'Maak je nu een grap of ben je serieus?'

'Een grap? Nee hoor, het was een aanbieding. Ik kreeg twee flessen voor de prijs van één!' Haar moeder ging op het puntje van haar stoel zitten, hield haar glas op armlengte afstand om de kleur te testen, schudde de wijn een beetje heen en weer en nam vervolgens met getuite lippen een slokje. 'Heb ik iets te veel gezegd? Rioja blijft mijn favoriet!'

'Is dat verhaal over oma nu wel of niet waar?' drong Ella aan.

'Ach, het is allemaal zo lang geleden. Gedane zaken nemen geen keer.'

'Maar waarom heb je dit nooit eerder verteld? Ik ging daar toch vaak logeren, vond haar heel aardig en dan...'

'Nou, zo aardig was ze anders niet!' riep haar moeder

verontwaardigd uit. 'Ze dacht dat ze beter was dan ieder ander. Ze had het maar hoog in d'r bol. Dat vond je vader trouwens ook.'

'Daar gaat het nu toch niet om.' Ella had weinig hoogte van haar oma kunnen krijgen. Ze was vriendelijk en afstandelijk tegen haar geweest, net als tegen haar nichtje, met wie ze samen in het huis in de Bloemenbuurt had gelogeerd. Haar oma had meestal in haar stoel gezeten, het grijze haar in een dikke knot op haar hoofd gestoken, stil voor zich uit mijmerend, haar handen in haar schoot gevouwen. Ze zorgde voor het eten, en verder zat ze vooral in die stoel te zwijgen.

'Waarom ben je ineens zo in je overgrootmoeder geïnteresseerd?' vroeg haar moeder achterdochtig.

Ella voelde zich met de minuut lamlendiger worden. 'Nou gewoon,' zei ze slapjes, 'dat is toch interessant om te weten.'

Reindert keek bezorgd om zich heen. Dit gesprek dreigde weer zo'n merkwaardige wending te nemen. Zat hij rustig op zondagmiddag bij zijn schoonmoeder op de thee en voor hij het wist was er van alles aan de hand.

'Gewoon een bastaard,' zei haar moeder. 'Dat was een schande vroeger. Wat is daar interessant aan? Van een of andere Franse baron met zo'n dubbele naam...'

'Weet je zelfs de naam van die familie?'

'Nou, niet precies.' Haar moeder aarzelde een moment en zei toen, met een flauw lachje rond haar mond: 'Iets met Termen, geloof ik.'

'Termen?'

'Ja, zoiets, met nog iets ervoor. Kazals?' Haar moeder deed alsof ze heel diep nadacht.

'Doe niet zo flauw, ma.' Ella zakte uitgeput met haar glas wijn in de kussens van de bank.

'Ik doe helemaal niet flauw! Wat krijgen we nou zeg?'

riep haar moeder verontwaardigd uit. 'Oom Gijs heeft het allemaal uitgezocht. Maar je vader was er niet in geïnteresseerd. Hij was toen al ziek. Als je daar meteen weer zo bozig over doet, had ik beter niets kunnen zeggen.' Ze zette haar glas op tafel neer en gaf met beide handen een kordaat klapje op haar knieën, om aan te geven dat wat haar betreft het gesprek voorbij was.

'Weet je dat wel zeker, Ans?' vroeg Reindert. 'Je weet toch nog wel over wie Ella haar scriptie geschreven heeft? Poliakoff, Balthus, De Staël en Cazals-Les Thermes. Allemaal Franse naoorlogse schilders van Pools-Russische afkomst? Die hebben jullie toch gelezen, die scriptie?'

'Nou gelezen, gelezen,' schamperde haar moeder. 'Hoelang is dat wel niet geleden, zeg, die scriptie? Twintig jaar?'

Weggaan, dacht Ella, weg van deze schertsvertoning. Maar ze kon niet eeuwig blijven weglopen en dus stond ze op en liep naar de eettafel. Daar begon ze vanaf een veilige afstand voor het eerst tegen haar moeder te zeggen wat haar dwars zat. 'Ik begrijp niet dat je niet de moeite hebt genomen mij in Parijs te bellen. Ik ben toch zijn dochter. Ik had bij zijn overlijden moeten zijn. Het is toch al zo moeilijk, vanwege vroeger, vanwege die driftaanvallen. Nu is dat uitgerekend het laatste wat ik van pa gezien heb, toen ik in het ziekenhuis met die dropjes terugkwam en hij woedend een prop maakte van de krant en hem op de grond smeet. Waarom zei je eigenlijk dat mijn bezoek hem zo vermoeid had?'

'Dat was gewoon zo.'

'Ik heb van hem gehouden, ma, ondanks dat hij zo'n heethoofd was. We hadden een band, dat weet ik zeker. Als hij een grapje maakte en naar mij keek, die blik, daar sprak toch liefde uit?'

Haar moeder zweeg.

'Maar het volgende moment werd hij weer driftig. En jij

146

deed niets. Je klaagde alleen hoe onmogelijk ik was, hoe ongehoorzaam.'

'Hoe kom je erbij?' zei haar moeder. 'Hij had soms wat losse handjes als hij een borrel ophad. Stel je niet zo aan.'

'Hij heeft me geslagen, ma, met alles wat hij maar voorhanden kreeg, zijn schoenen, de jassenborstel, en niet alleen als hij dronken was. Ook broodnuchter uit school, als jij een kapotte panty onder zijn neus duwde. Ik was acht of negen jaar oud.'

'Ik weet niet waar je het over hebt.'

'Hoe kun je dat nu niet meer weten? Je stond erbij en moedigde hem aan.'

Ella wist niet of haar moeder het zich inderdaad niet meer kon herinneren, of dat ze gewoon deed alsof. Er was geen enkele emotie van haar gezicht af te lezen.

Ze voelde zich duizelig worden en leunde tegen de tafel aan. Reindert kwam uit zijn stoel omhoog en bleef halverwege de kamer staan. Niemand zei meer iets.

'Eén ding weet ik heel zeker,' onderbrak haar moeder de stilte, 'mij heeft hij nooit geslagen!'

Het waren niet eens zozeer de woorden, als wel de triomfantelijke blik in haar ogen. Die openbaarde een klassieke, maar daarom niet minder pijnlijke waarheid, zo oud als de Griekse tragedies, zo oud als de mensheid zelf misschien.

'Wat?' riep Ella uit. 'Wat zeg je nu?'

Haar moeder keek haar onderzoekend aan.

'Je bent een patiënt,' zei ze. 'Je moet opgenomen worden.'

Er schoot een schelle flits door Ella's hoofd. De kamer om haar heen begon te kantelen, en ze greep zie zich aan de tafelrand vast.

'Dan heb je eindelijk je zin,' mompelde ze. 'Dat is je dan toch maar mooi gelukt.'

147

Haar moeder vloog overeind. De onverstoorbare uitdrukking op haar gezicht veranderde in razernij. 'Ik wil dit
niet langer aanhoren!' riep ze. 'Vals kreng dat je bent! Met
je leugens, je praatjes.'

Reindert probeerde haar moeder te sussen. 'Dit lijkt me
niet de goede reactie, Ans,' zei hij.

'Mijn huis uit!' riep haar moeder.

'Ans, alsjeblieft,' zei Reindert, terwijl hij vermoeid zijn
haar naar achteren streek. 'Je moet even luisteren naar
wat ze je probeert te zeggen.'

'Luisteren?' riep haar moeder. 'Ik heb nooit iets gedaan,
zeg ik je. Het was haar vader die losse handjes had, niet ik!
Ze was een ondankbaar kind. Hoog in de bol. Net als haar
oma.'

Ella had haar moeder nog nooit zo kwaad gezien. Toch
verbaasde haar uitbarsting haar niet. Het ging precies zoals ze altijd gevreesd had.

'Daar is het gat van de deur!' riep haar moeder. 'Je hoeft
hier nooit meer terug te komen! Ik wil je nooit meer zien.
Nooit meer, hoor je!'

'Hier krijg je spijt van, Ans,' zei Reindert, een verbijster-
de uitdrukking in zijn ogen.

Op de grijze stoeptegels voor het huis zag Ella twee meisjes hinkelen. Ze hadden de tegels met blauwe en roze cijfers ingekleurd en hinkelden er om beurten overheen. Ella keek naar het meisje met de twee rode staartjes, die een
steentje op de tegels gooide, haar linkerbeen introk en op
het andere begon te hinkelen.

Ze voelde een groot en vergeefs verdriet in zich opkomen. Als een stuwende vloed rees het in haar omhoog,
steeds hoger, steeds voller, het benam haar de adem, liet
haar vooroverbuigen en ineenkrimpen van pijn. Maar ze
wilde niet breken, niet nu, niet hier. Ze verzamelde haar

laatste krachten, stak haar arm in die van Reindert en samen liepen ze naar de auto.

7

De velden waren omhuld door een aubergine gloed, de avond viel, ze zou Cluny niet meer bij daglicht bereiken. Geknotte platanen aan weerszijden van de weg, witte rookpluimen uit de schoorstenen van de huizen. Een buizerd schoot rakelings naar beneden, raapte iets van de grond, en zeilde weer weg, zijn krachtige vleugels uitslaand op de wind.

Die middag had haar auto ineens op de binnenplaats van het kasteel gestaan, gerepareerd en wel. Ze had meteen haar spullen gepakt, nog een kop koffie met de kasteelheer en de man van de garage gedronken en de rekeningen betaald.

Ze passeerde een onttakeld treinstation; het opkruiende puin op het perron leek een stil protest tegen het voortrazen van de tijd, dat grotere stations en vooral snellere treinen eiste. Ze reed voorbij wijnvelden en fruitgaarden, waar nevelsluiers om de stammen cirkelden, als om hen in te stoppen voor de nacht. Een dorpje met een groot Mariabeeld, haar armen wijd uitgestrekt naar de drie vuilcontainers voor haar. Laat al het afval tot haar komen, moest de burgemeester hebben gedacht.

Op de radio werd verslag gedaan van een schietpartij in Tournus. Een jongen van achttien had zijn stiefvader, een failliete graanboer die aan de drank was geraakt, met zijn eigen jachtbuks doodgeschoten. Er leek op het Franse platteland haast niets te gebeuren, zo slaperig dommelde het zich een slag door de dag, maar achter de gesloten deuren vond menige tragedie plaats, vooral bij boerenfamilies die door de steeds lagere graanprijzen tot wanhoop werden gedreven.

Donzy-le-Pertuis lag alweer achter haar, nieuwe heuvels wierpen zich op, waar de kale bossen als gearceerd tegenaan lagen.

Op de radio werd vanwege de nachtvorst voor de wijnoogst gevreesd. Er kwam een psycholoog aan het woord die de gedupeerde wijnboeren voorhield toch minstens twee derde van hun gedachten positief te laten zijn. 'Maar wat als dat niet lukt?' vroeg de verslaggeefster benauwd. 'Wat als bijvoorbeeld maar een derde van onze gedachten positief is, of misschien nog minder, een kwart?' De psycholoog hoefde er niet lang over na te denken: 'Dan zal de aanmaak van serotonine afnemen, met als gevolg een vermindering van levensvreugde, verslechtering van het geheugen, slapeloosheid en...'

Ella zette de radio uit en zette een cd met de toccata's van Bach op. Morgen zou ze na haar bezoek aan de abdij meteen naar de Gard doorrijden. Geen onnodige omwegen of Via Agrippa's meer, ze wilde nu eindelijk naar het zuiden; een beetje zon en warmte hielpen vast ook om haar gedachten positief te stemmen. Van haar Spaanse antiquair had ze helaas niets meer gehoord. Ze had voor vertrek zijn visitekaartje nog gepakt en overwogen zijn nummer te draaien, maar de afspraak was nu eenmaal dat hij haar zou bellen. Bovendien weerhield die opmerking van de receptioniste haar ervan zelf stappen te ondernemen.

Ze luisterde naar Glenn Gould die zachtjes meekreunde met de noten, tot groot genoegen van haar vader. Grappen en grollen, verhaaltjes voor het slapen gaan, timmeren en

verven. Haar kamer werd op verzoek oranje of pimpel-
paars geschilderd, al naargelang de grillen van de mode,
haar fiets werd keer op keer gerepareerd, de banden geplakt, haar schoenen verzoold. Hoe ouder ze werd, hoe
meer zaken haar vader haar toevertrouwde: het berekenen
van de uitgaven, het maken van de roosters op school, het
plannen van de vakanties. De camping met de brug had ze
in een gids gevonden, en haar vader was er zonder er ook
maar één vraag over te stellen gewoon naartoe gereden.

Maar helaas niet zonder slag of stoot. Zijn hand lag tijdens de reis op de leuning van de voorbank van de Taunus. Bij elke kik die ze op de achterbank gaven, moesten
ze wegduiken. De automatische handenmepper, noemde
haar moeder dat. Ze wilde geen herrie op de achterbank.

Positief denken! Elke keer als ze haar vader op een
beetje positieve wijze probeerde te herdenken, schoot er
weer een andere herinnering voor, die het beeld liet kantelen. Niet goed voor de serotonine.

Zijn gezicht met die Jack Nicholson-grijns, hun fietstochtjes, zijn schuurtje. Het was een hok van nog geen vijf
vierkante meter, maar groot genoeg om de weerbarstige
materialen tot elke vorm te dwingen die hij zich wenste:
een duivenhok, een salontafel met ingelegde tegels, een
secretaire voor aan de muur.

Ze stond er als kind vaak bij te kijken en hoorde hem
hard vloeken als iets niet lukte of als hij zich bezeerde,
maar ook zag ze hoe geduldig hij zich steeds opnieuw over
het hout, de lijm en de spijkers boog. Zelf vond hij dat
hij er niets van kon. Zijn broer Gijs was pas handig, die
bouwde hele antieke klokken na. Hijzelf klooide maar
wat aan.

Als hij klaar was met timmeren trokken ze er samen op
uit. Ze herinnerde zich nog een van die fietstochtjes, ze
moest een jaar of acht zijn geweest. Het was een warme

zomeravond, ze reed op haar nieuwe, rode fiets door een haag van groene bomen. Op zeker moment naderden ze het stoplicht op de kruising met de Kleine Houtweg en ze begon al in haar nieuwe handremmen te knijpen, die nog een beetje stroef waren. Maar het licht sprong alweer op groen, zodat ze gewoon door konden fietsen.

'Dank u, dokter!' riep haar vader en tikte met twee vingers aan een denkbeeldige pet. Vervolgens knikte hij nog eens beleefd naar het huis waar hun huisarts woonde.

'Deed onze dokter dat?'

'Natuurlijk. Kennen we hier soms nog andere mensen?'

Haar vader had ernstig voor zich uit gekeken, zijn gezicht geheel in de plooi. Ze had zich de spreekkamer van hun huisarts proberen voor te stellen. Stond daar een bedieningspaneel om het verkeer te regelen?

'Maar dat doet hij natuurlijk alleen voor de patiënten die hij aardig vindt. En niet voor die zeurpieten die denken dat ze altijd iets mankeren.'

Dan die bekende blik in zijn ogen, plagend én streng. Een grap, natuurlijk. Ze had zo hard moeten lachen dat ze bijna van haar fiets was gevallen.

Het ritueel herhaalde zich nog enkele maanden, elke keer als ze de bewuste kruising naderden. Wanneer het licht op rood bleef staan, was de dokter volgens haar vader achter zijn krant in slaap gevallen. Dat overkwam de besten, nietwaar? Maar elke keer als het wel meteen op groen sprong, knikte hij haar bemoedigend toe. Dan was het haar beurt om heel hard 'Dank u, dokter!' te roepen, waarna ze lachend hun weg vervolgden.

De grootste beloning die ze van haar vader kon krijgen was geen compliment, want die gaf hij nooit, geen zoen of omhelzing, want die gaf hij hoogst zelden, maar een grijns, als ze de grap die hij met een subtiele voorzet voor de goal had neergelegd, er ook daadwerkelijk in schoot.

Zo werd de avondlijke sessie van het naar bed brengen vaak besloten met een imitatie van reclamespotjes achter het bovenraam van haar slaapkamerdeur. In het halletje stond een kast waarin haar moeder een voorraad huishoudspullen bewaarde. Nadat haar vader haar welterusten had gewenst, hield hij iets uit de voorraadkast voor het matglazen raam.

Ze zag een groen pak met witte letters achter het raampje schemeren. Ze wist dat ze snel iets grappigs moest verzinnen, voordat haar vaders aandacht zou verslappen. 'Biotex,' riep ze. 'Wast zelfs uw bonte was weer stralend wit!' Zijn op de trap wegstervende lach was genoeg om in slaap te kunnen vallen.

Humor was voor pa een overlevingsstrategie, dacht Ella, terwijl ze zachtjes meeneuriede met Gould. Daarom nodigde hij ook anderen voortdurend uit een grap te maken, zelfs haar, een kind van amper acht jaar oud. En wat deed ze haar best het in haar gestelde vertrouwen niet te beschamen. Haar stinkende best. Het was nog een wonder dat ze ondanks die jarenlange jeugdtraining geen cabaretière was geworden. Maar als student kon het haar ineens niet meer ernstig of tragisch genoeg zijn. Toen maakte ze niet veel grappen meer, maar werd ze alleen nog verliefd op degene die haar aan het lachen kon brengen.

Humor was voor haar vader een manier om afstand te scheppen, waardoor hij niet alleen boven zichzelf, maar ook boven anderen en zelfs boven de werkelijkheid uit kon stijgen. Voor de duur van de grap kon hij zich onschendbaar wanen. Dan hadden ook zijn angsten geen vat op hem. Maar als hij te veel getergd werd kon hij dit niet voor elkaar krijgen.

Geen afstand betekende geen grappen, en dus onvrijheid

en vastgeketend blijven aan de trauma's van zijn jeugd: zijn vroeg overleden zusje, zijn suïcidale moeder, zijn enige broer die in Indië moest vechten en hem alleen thuis had achtergelaten. Een grap maken was een bevrijding van alle neuroses die deze ellende hadden veroorzaakt. Ontlading van innerlijke spanning. Daarna klaarde de lucht. Verdween de dreiging. Dan was alles voor even goed.

Na een volgende, scherpe bocht naar rechts zag ze in het dal Cluny voor zich liggen. Honingkleurig schijnsel van de straatlantarens over de huizen. Eén toren stak hoog boven de daken uit: de *Clocher de l'eau bénite*, beroemd overblijfsel van de abdijstad die ooit het spirituele hart van Europa vormde. Langs de abdijmuren reed ze het straatje naar het Hôtel de Bourgogne in; vanuit haar kamer zou ze uitzicht op de toren hebben, had de receptioniste haar verzekerd.

Ella kreeg de sleutel van de dochter van de hoteleigenaars overhandigd. Haar ouders stonden allebei in de keuken, legde het meisje uit, want het voltallige regionale bestuur kwam vanavond dineren. De eetzaal zou over een uurtje opengaan.

Ella liep door de zwart-wit geblokte gang naar haar kamer op de eerste verdieping. Sinds de negentiende-eeuwse dichter en staatsman Alphonse de Lamartine tot de stamgasten behoorde, was er aan de inrichting van het hotel weinig veranderd: bloemetjesdessins op de sofa's en gordijnen, naar boenwas ruikende meubels en vloeren, maar helaas ook een bed met een kuil van zeker twintig centimeter diep.

Ze vulde het gat met een kussen en ging op het bed zitten. Door het raam zag ze de grote broer van de achthoekige toren van het kerkje in Bard-le-Régulier. Er vlogen duiven omheen, hun laatste rondgang voor de nacht. Ze pakte haar laptop en logde in op de wifi van het hotel. Geen bericht van David d'Espinaz, maar wel van de historische archieven in Parijs. Ze moest de mail een paar keer lezen, voordat de inhoud tot haar doordrong.

8

De eetzaal zat vol regionale politici die eensgezind, en voor Franse gezagsdragers tamelijk luidruchtig, zaten te genieten van het diner. De hotelier en zijn vrouw draafden af en aan met de gerechten, na de soepterrines zag Ella grote schalen escargots voorbijkomen. Hun dochter, voor de gelegenheid in een zwart jurkje gestoken, ontfermde zich over Ella en nog een paar hotelgasten; ze werden gezamenlijk in een apart deel van de eetzaal geplaatst.

Tegenover haar zat een Amerikaans echtpaar, dat na aandachtig de wijnkaart te hebben bestudeerd een Côte de Nuits uit 1978 bestelde.

Ella kreeg spijt van het glas huiswijn dat ze zelf genomen had. Ze zag hoe de hotelier met veel poespas de dure fles aan het tafeltje voor haar ontkurkte en de man wilde laten proeven. Deze knikte echter nadrukkelijk naar zijn vrouw. Zijn echtgenote had prachtig zilvergrijs kroeshaar, dat tot op haar schouders viel; ze stak haar neus in het wijnglas en knikte vervolgens instemmend naar de ober, die hun beide glazen vulde.

'*Excellent.*'

Haar man leunde met zijn glas achterover en strekte zijn lange benen ontspannen naast het tafeltje. Hij nam een slokje en glunderde als een kind dat net een cadeautje heeft uitgepakt. Ella moest zichzelf dwingen niet de hele tijd hun kant op te kijken. Ze was een schaamteloze staarder, zonder daar zelf erg in te hebben. Ze hield nu eenmaal van kijken naar andere mensen, alsof ze met haar blik de afstand tot hen kon overbruggen. Ze kon zich er soms zo in verliezen dat het gênant werd. 'Niet zo kijken!' zei Tobias dan.

De *oeufs en meurette* – eieren met champignons gestoofd in rode wijnsaus – smaakten verrukkelijk; ze vroeg zich af of David dit restaurant wellicht bedoeld had, toen hij haar voorstelde om in Cluny te gaan eten. Misschien was er iets tussen gekomen, ze zou hem vanavond een mailtje sturen. Ella zocht het meisje in de overvolle zaal, om een dessert te bestellen, toen haar blik die van de Amerikaanse echtgenoot kruiste. Hij knikte haar vriendelijk toe.

'Mogen wij u een glas van deze voortreffelijke wijn aanbieden?'

Voordat ze iets kon antwoorden, stond hij al met de fles in zijn hand naast haar tafeltje.

'Sommige zaken mag je namelijk niet alleen nuttigen.'

Hij draaide de wijn even rond in het bolvormige glas en reikte het haar aan. Ze hield het glas even onder haar neus: kersen en zoethout.

De man lachte breeduit. Ze wilde voorzichtig een slokje nemen, maar het glas tikte kort maar duidelijk hoorbaar tegen haar tanden aan. Sommige dingen leerde ze nooit af.

'Hij maakt u nerveus, die oude pinot,' zei de man. '*Wonderful.* Onverschilligheid zou zeer ongepast zijn.'

'Ian, zou je je niet even voorstellen?' zei zijn echtgenote.

'Natuurlijk, ik ben Ian Bentridge, en dit is mijn vrouw Francesca. Zij vermoedt dat u een Ierse schrijfster bent, op zoek naar inspiratie voor een historische roman over Abélard en Héloïse.'

'Ian, houd op!'

'Het spijt me dat ik u moet teleurstellen,' zei Ella lachend. 'Ik kom niet uit Ierland, en ben ook geen schrijf-ster, maar kunsthistorica. Meer kan ik er helaas niet van maken.'

'Op uw gezondheid!'

Ze zette opnieuw het glas aan haar mond. Eerst proefde ze alleen aarde en muf papier, maar een paar tellen later doken de kersen weer op.

'Wilt u er ook een stukje kaas bij?'

Ian wees uitnodigend naar het plateau dat de hotelier zojuist op hun tafeltje had gezet.

Het Amerikaanse echtpaar kwam uit Boston, ze waren op huwelijksreis, de zilveren dan. Sinds hun bruiloft keerden ze elke vijf jaar terug naar Europa. Francesca was van Ja-maicaanse afkomst en doceerde Romaanse talen en cul-tuur. Ella vertelde dat haar zoon daar net aan een studie neurolinguïstiek en -psychologie begonnen was. Die vak-groep had een goede reputatie, vertelde Ian. Zijn familie kwam oorspronkelijk uit Ierland, maar een van zijn groot-moeders was half-Mexicaans.

'Vandaar die snor,' zei Francesca, 'en zijn voorliefde voor tequila. Maar hij is ook een groot kenner van Ierse litera-tuur.'

'Beckett, Banville en Bowen,' somde Ian op.

'Niet toevallig zijn eigen initiaal,' zei zijn vrouw.

Toen ze Ella vroegen waar zij vandaan kwam, aarzelde ze even.

'Uit Nederland,' zei ze. Maar omdat het soms gemakke-lijker is om aan vreemden persoonlijke ontboezemingen te doen, voegde ze er nog aan toe: 'en voor een klein deel Frans, want ik heb sinds kort ontdekt dat mijn overgroot-moeder een kind van een Franse baron is.'

Francesca spitste meteen haar oren. Revoluties, guilloti-ne en Robespierre ten spijt, de Franse aristocratie bleef tot de verbeelding spreken.

Ella vertelde dat ze nog geen uur geleden van de archieven in Parijs een mail had ontvangen waarin bevestigd werd dat er in 1890 bij de familie Cazals-Les Thermes een Nederlands kindermeisje zwanger was geraakt.

'En aangezien de oma van mijn vader in januari 1891 geboren is,' zei ze, 'kan ik er nu wel van uitgaan dat het waar is, ook al vind ik het moeilijk te geloven.'

'Waarom?' vroeg Francesca.

'Ik heb het pas een paar maanden geleden aan mijn moeder weten te ontfutselen, toen mijn vader al overleden was. Maar nog merkwaardiger is dat ik de naam van die familie al kende: Cazals-Les Thermes. Net als die Franse schilder van Russische afkomst. Wel eens van gehoord?'

Ze schudden hun hoofd.

'Hij is alleen in Frankrijk bekend,' zei Ella. 'Ik heb hem ook bij toeval ontdekt, via Poliakoff en De Staël, toen ik aan mijn scriptie over kunst en ballingschap werkte. Die scriptie ging over een groep schilders die oorspronkelijk uit Oost-Europa kwam en tijdens het interbellum in Parijs werkte, onder wie Cazals. Dus was ik nogal verbaasd dat mijn moeder uitgerekend met die naam op de proppen kwam.'

Ze wachtte even en nam een slokje van de wijn. 'Het was een schande, zei mijn moeder, er werd bij mijn vader thuis niet over gesproken. Maar goed, in hoeverre mijn schilder ook daadwerkelijk aan die familie geliëerd is, weet ik nog niet.'

'Wat een bijzonder verhaal,' verzuchtte Francesca.

'Het bezwangeren van het personeel was eerder regel dan uitzondering in die tijd,' zei Ian, die Ella een broodje met Fourme d'Ambert aanreikte. 'Deze kaas moet u proeven, hij gaat een mooie, ik zou bijna zeggen: aristocratische alliantie aan met de pinot.'

'Ja, maar dat het uitgerekend dezelfde naam is als die

schilder,' zei Francesca, 'dat is toch wel frappant.'

'Zelfs schilderen komt in de beste families voor,' zei Ian.

Ella schoot in de lach. 'Ik weet ook nog niet of het dezelfde familie is, alleen dezelfde naam. Volgens de archieven zou de oudste dochter, ene Caroline, zich over het zwangere kindermeisje ontfermd hebben, mijn betovergrootmoeder dus, en niet alleen over haar. Ze heeft zelfs een apart onderkomen voor ongetrouwde moeders in de zijvleugel van het kasteel gevestigd.'

'Wat een originele manier om haar vader te straffen!' riep Ian uit. 'Stel je de baron eens voor op zijn dagelijkse inspectieronde over het landgoed.'

'Het opvanghuis werd gesloten toen haar vader enkele jaren later overleed en het landgoed moest worden verkocht. Caroline trouwde toen met een Franse officier uit Nîmes en ging samen met haar jongere broer Frédéric op een ander landgoed van de familie in de Gard, bij Uzès wonen.'

'Noblesse oblige,' zei Ian. 'Overal een stek.'

'Het waren hugenoten,' legde Ella uit, 'die in de zeventiende eeuw moesten vluchten voor de Franse koning. Een deel van de familie ging naar de Baltische staten, een ander deel sloot zich aan bij de camisards, de verzetsgroep van de hugenoten in de Cevennen. Nu wonen daar nog altijd de twee bejaarde kleindochters van die Frédéric. Ze zijn nooit getrouwd.'

'Hoe komt het dat je bij elke Franse biografie vroeg of laat weer op de hugenoten stuit?' vroeg Ian.

'Ze behoorden tot de elite, de fine fleur van Frankrijk,' zei Francesca. 'Adel, hoge burgerij en vakmensen die genoeg van de corruptie en het machtsmisbruik van Rome hadden. Toen het Edict van Nantes werd herroepen vond de eerste braindrain van Frankrijk plaats. De meeste families trokken naar Noord-Europa, maar sommige sloten zich ook bij het Russische rijk van de tsaar aan. In Amerika zijn er trouwens ook aardig wat terechtgekomen; maar liefst acht presidenten stammen van de hugenoten.'

'Mij interesseert vooral die Russische tak,' zei Ella, 'vanwege Vladimir, mijn schilder dus. Zijn familie verhuisde tegen het einde van de negentiende eeuw weer terug naar Frankrijk, maar ik heb nog geen directe link met de familie van Caroline en Frédéric gevonden.'

'Waarschijnlijk is er in de zeventiende eeuw al een breuk ontstaan tussen het deel van de familie dat emigreerde en het andere deel dat bij het verzet ging,' zei Ian. 'Er wordt wel om minder ruziegemaakt.'

'Misschien heeft u onbewust iets in zijn werk herkend,' zei Francesca. 'Een bepaalde verwantschap of signatuur. Maar wat gaat u nu doen? Bent u van plan om naar de Gard af te reizen?'

Ella knikte. 'Ja, maar niet vanwege die kleindochters van Frédéric. Ik wil de streek en het dorpje Collias terugzien waar ik alle zomers van mijn jeugd heb doorgebracht. Sinds mijn vaders overlijden blijft die plek maar door mijn hoofd spoken. Het dorp ligt trouwens op nog geen tien minuten rijden van Uzès, dus wie weet.'

'Dat kan toch geen toeval meer zijn?' riep Francesca uit. 'Dat u als kind uw vakanties zo dicht bij uw verre achternichten heeft doorgebracht?'

'Als het geen toeval is, schat, wat is het dan?' zei Ian. 'Voor een postmoderne literatuurwetenschapper vlieg je wel heel romantisch uit de bocht. Bovendien, wat is er mis met toeval? Verreweg het meeste wat ons overkomt is toeval. Wij hebben die streek overigens vijf jaar geleden nog bezocht vanwege Francesca's gewroet in het leven van André Gide. Vrienden van ons hebben een mooi huis bij Uzès, ook toeval, maar wel handig als u nog een plek zoekt om te overnachten.'

'U schrijft over Franse literatuur?' vroeg Ella.

'Over Franse liefdes,' corrigeerde Ian.

'Over Franse, literaire liefdes,' zei Francesca, 'dat is inderdaad mijn specialisme. Ik onderzoek nu een veel oudere liefdesmythe, die van Abélard en Héloïse. Daarom zijn we ook wat langer in de Bourgogne. Ik probeer aan te tonen dat die beroemde liefdesgeschiedenis, en met name het verslag daarvan in de *Calamitatum* van Abélard, op leugens berust. Hij heeft het waarschijnlijk niet eens zelf geschreven.'

'Als de dames me even willen excuseren,' zei Ian, die van tafel opstond. 'Ik zie een bekende, die ik even moet begroeten.'

'Hij kan mijn *Abélardgate*, zoals hij het noemt, niet meer aanhoren,' zei Francesca. 'Ian geeft niet veel om geschiedenis. Hij kijkt zelden om, tenzij het een pinot noir uit 1978 of een Ierse schrijver met een B betreft.'

'Maar hoe zit dat dan met Abélard?' vroeg Ella.

Francesca vertelde dat de beroemde theoloog zijn dertig jaar jongere leerlinge Héloïse zwanger had gemaakt, haar vervolgens in een klooster had laten opsluiten en haar kind had afgepakt. Een openbaar huwelijk en een kind zouden zijn kerkelijke carrière schaden. 'De oom van Héloïse liet het er niet bij zitten,' zei Francesca, 'en stuurde drie varkensboeren op Abélard af, die hem mishandelden en castreerden.'

Ella keek haar verbaasd aan. Tijdens haar studie had ze meerdere geïllustreerde edities van de liefdesmythe gezien, maar deze versie had ze nooit gehoord.

'En vervolgens liet Abélard hen met gelijke munt terugbetalen,' zei Francesca. 'Eén zwanger meisje had maar liefst tot vier ontmanningen geleid.'

De brieven en gedichten waren waarschijnlijk pas veel later geschreven, meende Francesca. Het was allemaal een groot verzinsel, een literair construct, maar daarom nog niet minder interessant.

Ze was net klaar met haar Abélardgate toen Ian naar hun tafeltje kwam teruggelopen, een brede glimlach op zijn gezicht.

'Jullie moeten de hartelijke groeten van Margaretha hebben. Ze zit hier met het hele regionale bestuur van de Bourgogne te eten.'

'Hoe gaat het met haar?' vroeg Francesca.

'Geldzorgen, *of course*. Ze moet het kasteel misschien verkopen, want sinds die capriolen van haar moeder kan ze het onderhoud niet meer betalen.'

Ian ging zitten en keek Ella grijnzend aan. 'Ze herkende u meteen als de illegale bezoekster van haar kasteel, en vroeg zich af of u David d'Espinaz nog getroffen hebt. De Spaanse antiquair, die hier twee dagen vergeefs op u heeft zitten wachten?'

'Pardon?'

'Ja, hij heeft u meerdere berichten gestuurd.'

'Ik heb helemaal niets ontvangen,' zei Ella verbaasd. 'Ik had pech met mijn auto, een kapotte lambdasonde, en dus...'

'Dat is de beste smoes die ik sinds jaren heb gehoord,' zei Ian. Hij haalde iets uit de binnenzak van zijn colbert. 'Margaretha heeft hem gesproken in verband met een collectie miniaturen. Ze heeft zijn nummer voor u opgeschreven, mocht u hem nog willen bellen. Onze hertogin had zeer met hem te doen.'

Ian legde een visitekaartje op tafel; onder het wapen van de familie had de hertogin het telefoonnummer van David geschreven.

'Ik zal hem bellen,' beloofde Ella.

Ze namen afscheid. De Bentridges zouden de volgende

ochtend naar hun vrienden in Uzès gaan. Ze hoopten dat ze elkaar later deze week nog zouden treffen. Ze gaven haar hun kaartjes.

'Wel bellen hè?' zei Francesca.

Ella wist niet zeker of ze David of zichzelf bedoelde.

9

Om negen uur de volgende ochtend stond Ella al naar de hooggewelfde vertrekken van het transept van de abdij te kijken, die de verwoestingen wél hadden overleefd. Maar zelfs dit ene fragment, nog geen tiende van wat het ooit was, wist de voormalige pracht en rijkdom van de kloosterkerk op te roepen.

Cluny 'bestond' nog steeds, hoewel de schoonheid zich nu in die ene fractie moest samenballen. Vrijwel alle muren, kapellen en zijbeuken waren omvergehaald, de beelden en altaren verwoest, de bibliotheek was in vlammen opgegaan, maar blijkbaar niet datgene waarnaar de abdij ooit had willen verwijzen. Ze dwaalde door de grotendeels verwoeste abdijstad en werd vooral getroffen door wat er allemaal *niet* meer te zien was. Het sacrale hield zich nu op in wat verdwenen was. Het verschool zich tussen die paar muren die nog wel triomferend overeind stonden en dat ene boogvenster dat nog straalde van heelheid.

Ze liep verder door de ruïnes van de zijbeuken en langs de brokstukken van wat elkaar ooit toebehoorde, alsof ze door het haperende geheugen van de mensheid zelf wandelde. In het voormalige middenschip van de kerk was de blote hemel nu het dak. Ella keek omhoog, naar de witte wolken die aan de blauwe lucht voorbijtrokken en voelde hoe de openheid van het onttakelde dak haar borstkas verruimde.

In het later gebouwde klooster dwaalden studenten van de *Arts et Métiers* in hun beschilderde stofjassen door de gangen. Ella liep naar de plek die ooit het voorportaal van de kerk was geweest, en even had ze de indruk dat ze op het oude Forum Romanum liep. In de middeleeuwse kruidentuin wierp ze een blik op het informatiebord: kamille tegen eczeem, melisse tegen nervositeit en lavendel tegen slapeloosheid. Ze had het allemaal al eens geprobeerd, maar hun medicinale werking had waarschijnlijk meer tijd nodig dan zij zichzelf had gegund.

Ook het museum van Cluny blonk uit in het tonen van wat er niet meer was, maar had daarbij de grens van het onzichtbare overschreden. De paar stenen brokjes die van het timpaan nog over waren deden haar in de lach schieten. Het timpaan was in zijn geheel op de muur nagetekend, maar tot op heden had men er slechts een paar scherven van teruggevonden. Het twaalfde-eeuwse kapittel van Adam en Eva viel ook tegen; schaamtevol en vroom stond het paar weer tussen de druivenranken. In niets te vergelijken met de Eva van Gislebertus.

In de overige zalen zag ze nog meer onbeduidende scherven, maar het mooiste zag ze bijna over het hoofd. Het was een kapittel van een zeemeermin die in haar ene hand een slang en in de andere haar eigen vissenstaart vasthield, als een hybride wezen dat zowel Eva als Melusina verbeeldde. Een symbiose tussen de volkse, prechristelijke traditie van de dubbelstaartige zeemeermin en de verleidelijke, Bijbelse Eva.

Op de terugweg naar het hotel liep Ella de boekhandel binnen. Op de tafel werd de fameuze 'liefdesgeschiedenis' van Abélard en Héloïse in meerdere luxe-edities aangeboden, maar uiteraard zonder de versie die Francesca haar had gegeven. Ernaast lagen geschiedenisboeken over Cluny uitgestald en kopieën van middeleeuwse gebedenboeken, de meeste kende ze van haar studie. Er werd meerdere keren per dag uit voorgelezen, om de duur van de boetedoening van overleden dierbaren te bekorten. Tot haar verrassing was er ook een uitgave van het *Getijdenboek* van Katherina van Kleef bij.

Ze zocht de foto van de miniatuur op haar telefoon en vergeleek deze met de illustraties in het boek. Hetzelfde handschrift, overeenkomstig kleurgebruik van de floralen, dezelfde scherpte van lijnen en diepte. Het zou haar niet verbazen als het een van de elf ontbrekende miniaturen was. In de negentiende eeuw was het *Getijdenboek* door een slimme handelaar in twee aparte delen verkocht, en had hij er ook een aantal miniaturen uit verwijderd. Ze hoopte dat ze snel bericht van Cordelia Richter zou krijgen; dan had ze een goede reden om David te bellen.

De receptie van het hotel was onbemand en verder was er ook niemand van het personeel in de hotellounge aanwezig. Ella keek om zich heen waar haar koffer gebleven was, riep een paar keer *bonjour*, maar er meldde zich niemand. Toen boog ze zich diep over de balie heen om te kijken of haar koffer daar misschien stond. Op dat moment vloog de deur van het kantoortje open en kwam de kleine hoteleigenaresse met een rolletje papier in haar hand naar buiten gestoven. Ella schoot overeind.

De eigenaresse leek sprekend op Édith Piaf, maar dan met rode blossen op haar wangen.

'Ik zocht mijn koffer,' zei Ella ter verontschuldiging.

'Ja, natuurlijk, ik zal hem even voor u pakken.'

De vrouw legde een ansichtkaart voor haar neer. 'Van meneer en mevrouw Bentridge.'

Ella draaide de kaart om. 'Wat een genoeglijke avond! We wensen u een hele goede reis en hopen elkaar in Uzès weer te zien.'

'En deze fax is voor u gekomen,' zei de eigenaresse met een lichte twinkeling in haar ogen, 'een uurtje geleden, toen u aan het wandelen was.'

'Een fax?' vroeg Ella verbaasd. Het was zeker vijftien jaar geleden dat ze voor het laatst een fax had gekregen.

'Eh... ja, uit Orange, geloof ik.' De blos op haar wangen verdiepte zich.

'O, dank u wel.' Ella stopte de fax en de kaart van de Bentridges in haar tas, betaalde voor haar overnachting en liep naar de achterkant van het hotel, waar haar auto geparkeerd stond.

'Villa Orenjo, Orange. *Chère Ella*,' stond er boven de fax. Daaronder, in moeilijk leesbare lichtblauwe letters, de inkt van het apparaat was blijkbaar op, de volgende paar zinnen: 'Vanmorgen begreep ik van onze hertogin dat u mijn berichten helaas niet heeft ontvangen. Dat spijt mij enorm, ik zal uw handschrift niet goed ontcijferd hebben. Want gelooft u mij, ik had u graag teruggezien en samen in het Hôtel de Bourgogne gedineerd. Morgen vertrek ik naar Montpellier, waar ik nog drie dagen zal verblijven voordat ik weer naar Spanje terugvlieg. Weet u misschien al waar u logeert in de Gard? Wellicht kunnen we elkaar dan toch nog zien. *Salutations sincères*, David d'Espinaz.'

Eronder stond zijn telefoonnummer en het adres van het Hôtel du Parc in Montpellier. Ze legde de fax op de stoel naast haar neer, startte de auto en reed langs de abdijmuren het stadje uit, in de richting van Mâcon.

Ze kreeg het nog druk in de Gard.

IV

Altijd het zuiden

I

Er hangt een diepblauwe schemering boven de bergen. Het is de laatste avond van de vakantie en ik houd voor de tent nauwlettend mijn broer in de gaten. Hij zit met mijn vader aan de campingtafel zijn huiswerk te maken, maar het schiet niet erg op. Ik bijt op mijn nagels en zie hoe hij steeds verder in zijn stoel onderuitglijdt, zijn lange benen naar voren gestrekt, zijn voeten spelend met zijn slippers. Pas als hij zijn werktaak voor economie af heeft, mogen we naar het dorpsfeest in Collias.

'Prijsvorming is het coördinatiemechanisme waarmee vraag en aanbod op elkaar worden afgestemd,' zegt mijn vader. 'Waarvan is deze afhankelijk?'

Hans pulkt aan een muggenbult op zijn arm.

'Nou, waarvan?' vraagt mijn vader. 'Ik heb het al drie keer uitgelegd!'

Hans zakt nog verder onderuit in zijn stoel. 'Geen idee,' zegt hij.

Waarom doet hij zijn best niet? De hele camping moet het antwoord inmiddels weten, maar mijn broer staart zwijgend voor zich uit. Ik trek met mijn tanden het velletje naast mijn nagel los. Straks missen we het feest, en erger nog, zal Marc vergeefs op mij wachten.

'Van de marktvorm!' roept mijn vader en geeft een klap op het lesboek. De gaslamp wankelt. 'Prijsvorming is afhankelijk van de marktvorm!'

Mijn vaders lichaam is van zijn voeten tot zijn kruin gespannen. Mijn broer daarentegen laat alles bungelen, zijn armen hangen slap naast zijn lichaam, zijn kin zakt diep voorover op zijn borst. Ik kijk naar de twee gestalten voor mij: een groter contrast is nauwelijks denkbaar.

'En welke marktvorm heeft de meeste invloed op de prijsvorming?' Mijn vaders stem knapt bijna van ongeduld.

Hans haalt zijn schouders op. Kom op nou, denk ik nerveus, dat heeft pa toch net allemaal uitgelegd. Ik moet iets doen om onze avond nog te redden en verzin een cryptische omschrijving.

'Zullen we straks nog een spelletje doen?' zeg ik met nadruk op het woord 'spelletje'.

Mijn broer kijkt me niet begrijpend aan.

'Houd je mond, Ella,' zegt mijn vader.

Ik zie dat Hans nadenkt over mijn opmerking, maar hij snapt het niet. Waar zit hij met zijn gedachten? In de verte hoor ik onze vrienden joelen, iedereen staat al op het punt naar het feest te vertrekken.

'Let je eigenlijk wel op?' vraagt mijn vader. De woorden schieten sissend uit zijn mond, als kogels op de kermis, hij wordt steeds bozer, maar Hans is bepaald niet onder de indruk. Hij zwijgt en wipt met zijn slipper onder de tafel. Waarom zegt hij niets terug? Hij wil toch ook naar het feest, Laurette wacht op hem bij de ingang, net als Marc.

'Denk je soms dat ik hier voor mijn lol zit?' roept mijn vader. 'Geef antwoord. Welke marktvorm is dat?'

Hans staart ongeïnteresseerd in de verte. Hoe durft hij er zo bij te zitten? Hij kan toch wel iets proberen? Koortsachtig verzin ik een nieuwe list. Ik doe alsof ik moet hoesten en frommel halverwege mijn hoestbui het woord 'monopolie' ertussen. Maar mijn broer verstaat me niet.

'Bovenaan hoofdstuk 7,' buldert mijn vader. 'Lees voor!'

Hans slaat de bladzijde om en legt verveeld zijn hoofd op zijn armen.

'Rechtop zitten!'

Maar Hans blijft gewoon languit over de tafel heen liggen en gaapt. Ik kijk verbijsterd toe. Waar haalt hij het lef vandaan? Is hij dan niet bang voor pa? We mogen nooit meer weg vanavond. Hans gaapt nog een keer.

Mijn vader trekt hem met een ruk aan zijn schouder overeind: 'Rechtop zitten! Hoe vaak moet ik dat nog zeggen!'

Mijn moeder komt haastig de voortent uit lopen. 'Wat is dit voor kabaal, Johan? Wil je alsjeblieft niet zo hard schreeuwen?' Ze gaat vlak achter mijn vader staan en zegt op fluistertoon. 'Denk aan de buren, en blijf van die jongen af. Hij doet heus zijn best.'

Mijn vader schuift woest zijn stoel naar achteren. 'Ik kap ermee,' zegt hij. Hij graait zijn pakje sigaretten van tafel en beent met grote stappen van de tent weg.

Hans gaat rechtop zitten en roffelt met beide handen een korte drumsolo op zijn benen. Dan kijkt hij me lachend aan.

'Ga je mee, zus?'

De nacht is warm en droog als we in de oude 2CV van Laurette door de heuvels naar Collias rijden. Marc en ik liggen languit op de versleten achterbank, de stangen prikken in onze rug. Het dak is opgerold, boven onze hoofden schieten honderden sterren voorbij. Ik heb me al de hele week op deze avond verheugd, maar voel nu nauwelijks blijdschap. Ik ga overeind zitten en leun door het opengeklapte raampje zo ver mogelijk naar buiten. De wind woelt door mijn haren, ik ruik de stroperige geuren van de nacht, zoet en peperachtig.

Het is de laatste avond, zeg ik tegen mezelf. De laatste

avond met Marc. Denk daar eens aan. De weg kronkelt door de heuvels. Bij een volgende, scherpe bocht buigt de eend zo ver door dat we met auto en al lijken om te kieperen.

Wat Hans vanavond deed, zou ik nooit durven. Ik knijp er wel stiekem tussenuit, en rook en drink in het geniep, maar mijn vader zo openlijk trotseren, dat is me veel te link. Ik moet nog sterker worden, maar het voelt als een onmogelijke strijd. Dan vlij ik me weer tegen Marc aan. Boven het gepruttel van de motor uit horen we in de verte de eerste flarden van de muziek.

'Wat is er?' vraagt Marc.

'Niks,' zeg ik. 'Er is niks.'

We parkeren de auto op een groot weiland langs de rivier. Als we door de smalle straatjes het dorp in lopen, horen we de muziek steeds luider worden. We komen voorbij het witte kerkje met de drie olijfbomen ervoor, steken nog een straatje door en komen dan op het dorpsplein.

Er hangen gekleurde lampenslingers in de platanen, er staan fakkels langs de dansvloer, de dorpsbewoners zitten achter lange tafels te eten en te drinken. Op het podium, dat met discoballen is volgehangen, speelt de band van de broer van Marc ouderwetse dansmuziek. Tientallen paren zwieren over de houten vloer, een groep meisjes vormt hand in hand een wijde kring, die steeds van vorm verandert.

We kopen muscat-wijn aan de bar en lopen naar het podium. De broer van Marc geeft een extra roffel op de drums. De lange saxofonist rolt met zijn ogen als hij ons ziet en grijnst om de oubollige muziek. Marc trekt me de dansvloer op, legt zijn arm stevig onder aan mijn rug en walst me in het rond. Ik ken de danspassen niet, en schaam me voor de muziek, maar toch glijden mijn voeten soepel over de vloer. We zijn het enige jonge stel tussen de zwierende bejaarden.

Mijn broer kijkt van een afstandje toe, een spottend lachje speelt om zijn mond. Ik leg mijn hoofd op Marc zijn schouder en probeer me zo goed mogelijk op het ritme te concentreren – lang lang kort – we draaien steeds snellere rondjes over de dansvoer. Ik hang in zijn armen, ik word lichter en lichter, mijn handen en voeten beginnen te tintelen. Dan leg ik mijn hoofd in mijn nek en zie de gekleurde lampjes in de bomen aan me voorbijschieten. En daarboven, als hun gouden weerspiegeling, de vele honderden sterren aan de zwarte hemel. We botsen tegen een ander danspaar op. Gelach en gejoel om ons heen.

'Zullen we wat gaan drinken?' vraag ik aan Marc, terwijl ik naar adem hap.

We bestellen nog een muscat en een portie frites met merguez. De rode worstjes worden op een groot rooster gebakken. Vette rookwalmen hangen boven het vuur; de geur van harissa, paprika en peper prikt in mijn ogen. We gaan met de bordjes aan een van de tafels zitten en vallen hongerig aan. Om ons heen zit iedereen druk te praten. Er wordt naar ons gewezen en gelachen en Marc legt een arm over mijn schouder.

Een uurtje later lopen we een steil, met bamboe begroeid pad af naar de rivier en gaan op het kiezelstrand liggen. De stenen schuren onder onze lichamen, het ruisen van het water echoot het stromen van ons bloed. Het is onze laatste nacht en dus doen we alles wat God, mijn vader en de maatschappijleraar op school verboden hebben.

Pas als we de band in de verte '*Ça plane pour moi*' horen spelen, ons favoriete lied van de zomer, hollen we terug naar het feest. '*Allez hop, la nana*', we zwieren over het plein, onder de lampjesslingers door – '*hou hou hou hou*' – terwijl de saxofonist de zangpartij voor zijn rekening neemt: '*I am the king of the divan.*' Iedereen zingt

uitgelaten mee. We dansen, huppen en springen als beze-
tenen in het rond, het zweet stroomt langs onze gezichten
en we joelen in koor: 'Hou hou hou hou. *Ça plane pour
moi.*' Er bestaat geen grotere vreugde dan deze.

We dansen tot diep in de met harissa en muscat gestoofde nacht. Als we uren later over de brug naar de camping
terugrijden, zie ik door de bogen de eerste rode flarden van
de zon al boven de heuvels hangen.

Anderhalve maand later stap ik nerveus een apotheek aan
de Gedempte Oude Gracht binnen en vraag om een zwan-
gerschapstest. Thuis vergelijk ik keer op keer het staafje
in mijn hand met de tekening op de gebruiksaanwijzing
tot ik echt heel zeker weet dat het loos alarm is. Ik voel
een enorme opluchting, maar ben ook geschrokken. Van
onze roekeloosheid, maar vooral van mezelf. Van mijn
stommiteiten, maar ook van mijn gedachten.

Wekenlang ben ik elke ochtend opgestaan in de overtui-
ging dat ik zwanger was. Elke nacht had ik angstvisioenen
van rare, geschubde wezens die in mij rondzwommen. Zes
weken over tijd. Ik gooi het staafje niet weg in de prullen-
bak, te riskant, maar verstop het achter in de diepste lade
van mijn bureautje. De volgende ochtend zie ik de lang-
verwachte bloedvlek in mijn pyjamabroek. Blijkbaar zijn
mijn gedachten zo sterk dat ze mijn lichaam voor de gek
kunnen houden.

2

De laatste kilometers vlogen aan Ella voorbij. Na een paar uur *Autoroute du soleil* was ze al voorbij Montélimar. Haar reis begon eindelijk vaart te krijgen. In het oosten zag ze de vlakke bergrug van de Mont Ventoux uit het landschap omhoogrijzen. Akkers van rode, geploegde aarde ervoor, felblauwe lucht erboven. Hoe meer ze het zuiden naderde, hoe scherper het licht, hoe intenser de kleuren.

Ze zette de radio aan en luisterde naar een interview met een Franse componist, die Japanse haiku's tot een koorzang had bewerkt. De auto vulde zich met verheven engelenmuziek.

Even later passeerde ze een bord met een afbeelding van de brug, van 'hun' brug. Want het was 'hun' brug, dacht Ella. Als je er zo vaak onderdoor zwemt, bovenop klimt en overheen loopt, wordt zelfs zo'n immens bouwwerk van jou. Een brug van maar liefst drie verdiepingen hoog, met bovenop een smalle tunnel. Al het water voor de fonteinen, vijvers en badhuizen van de Romeinse pronkstad Nîmes moest door dit aquaduct over de rivier getild worden. Duizenden handen bouwden in veertien jaar tijd van losse, genummerde kalkstenen een brug van bijna zestig meter hoog, die als een droombeeld in het landschap stond.

Inmiddels was de brug tot werelderfgoed verklaard. Op

de plek waar zij vroeger van de rotsen doken waren nu parkeerplaatsen, wandelpromenades en restaurants verrezen. Ze had op internet gezien dat er zomers festivals en vuurwerkspektakels werden gehouden. Acteurs dansten er in fluorescerende pakken over de rotsen en projecteerden beelden van Indiase tempels op de driedubbele bogengalerij, alsof de brug van zichzelf niet interessant genoeg zou zijn. Geen middel werd geschuwd om de audiovisueel gelouterde toerist een onvergetelijke avond te bezorgen, maar Ella wilde de brug terugzien die in haar herinneringen lag opgeborgen: een glorieus bouwwerk dat geen vuurpijlen nodig had om zijn superioriteit te bewijzen.

In de winter zou het er vast een stuk rustiger zijn. Ze luisterde met een half oor naar een item over een Braziliaanse visser die elk jaar bezoek kreeg van een pinguïn, die hij vijf jaar geleden met olie besmeurd uit zee had gered, verzorgd en daarna weer vrijgelaten had. Sindsdien zwom de pinguïn elk jaar duizenden kilometers om zijn redder te begroeten. Ze glimlachte vooral om de ontroering in de stem van de nieuwslezeres, die maar niet ophield te zeggen hoe *merveilleux* dit was. 'Een wild dier heeft vriendschap met de mens gesloten!' juichte ze over de radio, alsof er weer hoop voor de mensheid gloorde. Haar mannelijke collega merkte nuchter op dat de pinguïn gewoon dacht dat de visser familie van hem was.

Noem dat maar gewoon, dacht Ella.

Ze nam de afslag bij Uzès en reed precies dertig jaar na haar laatste bezoek de Gard weer in. Ze viste de cd die ze vlak voor vertrek van Det had gekregen uit het dashboardkastje en speciaal voor dit moment had bewaard. 'Come to you river,' zong de Cubaanse tweeling op slepende toon. Gespannen keek ze naar buiten. Een kaarsrechte weg sneed door een weidse vlakte van wijnvelden en olijfgaarden. In de verte zag ze de zuidelijke uitlopers van de

Cevennen liggen, een paarsblauwe gloed erboven.

Na een poosje verschenen er reclameborden langs de weg, gevolgd door een industrieel gebied met bedrijven en garages. Toen zag ze het bordje Remoulins langs de kant van de weg staan en reed ze het dorp binnen, waar ze vroeger elke zomer de dorpsfeesten en Encierro's had bijgewoond.

De tijd had er niet stilgezeten. Nieuwe rotondes, nieuwe supermarkten, opgeknapte huizen. Zelfs op een verbouwd schapenschuurtje prijkte nog een bordje van Gîtes de France.

Ella bleef op goed geluk de borden met Uzès volgen en herkende op een gegeven moment het pleintje met de bakker en het oude hotel 'Moderne' aan de overkant. Een aanknopingspunt, eindelijk. Ze stak voor het pleintje linksaf. Hier lag het middeleeuwse hart van het dorp, waar Marc vroeger had gewoond. Aan het huis in de smalle, tot aan de rivier lopende straat, had ze al die brieven gestuurd.

Ze reed voorbij een lange rij van geknotte platanen en het plein waar vroeger de dorpsfeesten gehouden werden. Het met lage muurtjes omzoomde plein, de bomen, de kerk aan de overkant, dit alles was nog precies zoals in haar herinnering.

Toen reed ze ineens vlak langs de Gardon. Hoge platanen langs de oever, lichtgroene knoppen aan de takken, de rivier zelf was loodgrijs van kleur, en leek ook een stuk smaller dan in haar herinnering. Ze probeerde om hem tussen de bomen door beter in het vizier te krijgen, maar de weg boog naar rechts en de rivier verdween weer uit zicht.

Ze zou de komende dagen nog wel een keer in het dorp gaan kijken. Nu moest ze eerst de gîte zien te vinden, die ze in het dorpje van het landgoed van de twee ongetrouwde zusters Cazals had gehuurd. Niet dat ze van plan was hen te gaan bezoeken, maar ze was wel nieuwsgierig genoeg om de omgeving eens goed te verkennen. Bovendien hoefde ze vanuit de tuin van de gîte alleen een beek te volgen om aan de oevers van de Gardon te staan. Dat leek haar voorlopig dichtbij genoeg.

Langs de weg stonden steeds meer reclameborden van restaurants, wijnhuizen, campings en kanoverhuurbedrijfjes, afgewisseld met cipressen en stuifdennen. Goudgeel licht op de stenen muurtjes langs de velden. Na lange omzwervingen was ze dan eindelijk terug in het land van haar jeugd. En het voelde goed, ook al zag alles er wel erg aangeharkt uit met al die fraai gerestaureerde huizen, roomkleurig gevoegde muren en olijfgroen geschilderde luiken.

Even later stak ze een bruggetje over, boven de kerktoren vloog een zwerm spreeuwen weg. In het café naast de kerk kon ze sleutel afhalen.

3

Zodra ze de deur opendeed, stroomde de warmte van de open haard haar tegemoet. Serge, de uitbater van het café en eigenaar van de gîte, had het vuur eigenhandig voor haar aangemaakt, en ook een fles wijn op de houten eettafel neergezet. Het was een ruim vertrek, met links de open haard, een bankje en rotanstoelen ervoor, en rechts een keukenblok met een houten trap die naar de slaapkamer op zolder leidde. Ella bleef een poosje naar het vuur staan kijken, pakte toen haar spullen uit de auto en trok haar wandelschoenen aan.

Achter in de tuin stroomde de Alzon, een brede beek met enigszins troebel, lichtgroen water. Ze volgde het riviertje een paar kilometer zuidwaarts en liep door modderige, geurloze velden, die maar weinig herinneringen opriepen. Ook de bomen met hun overwegend nog kale, grijze takken deden geen belletje rinkelen. Het leek net of ze door een Hollands weiland aan het banjeren was. Ze miste de geuren, de brandende zon, het gezang van de cicaden. Als ze de Gard niet kon ruiken, kon ze de streek blijkbaar ook niet herkennen.

In plaats van bij de Gardon, zoals ze had verwacht, kwam ze uit bij een steile helling, die begroeid was met wilde brem en jeneverbessen. Er liep een smal geitenpaadje naar boven. Ze klauterde langs de bremstruiken omhoog, zag hier en daar een eerste toefje geel aan de takken, de fysieke inspanning deed haar goed. Boven aan de heuvel lag een veldje met geiten, die meteen begonnen te mekkeren zodra ze haar in de gaten kregen.

Ella liep naar het verste punt van de heuvel en ging op een steen zitten uitrusten. Ze veegde de natte haren van haar voorhoofd weg en keek naar het dal, waar tussen de velden en bossen door de Alzon kronkelde.

Ze volgde met haar blik de loop van de beek. In het zuidwesten stroomde hij voorbij het dorpje in de richting van de Gardon. Even verderop zag ze de contouren van een kasteel door een bosje schemeren. Ze keek nog wat beter. Dat moest het landgoed van de familie Cazals zijn. Er hingen lange slierten avondrood boven de torens.

Terug in de gîte opende ze staande aan het keukenblok de fles Domaine de Cedres, de licht gepeperde smaak deed inderdaad aan pijnbomen denken. Ze sneed een stuk brood en kaas af, zette alles op een dienblad en ging ermee bij de haard zitten.

Serge beheerde meerdere gîtes in het dorp, het was zijn voornaamste bron van inkomsten. Ze had een minuut of tien met de joviale cafébaas aan de bar zitten kletsen. Er woonde een Nederlands stel in het dorp, vertelde hij, en verder kwamen er in de zomer veel Parijzenaars en een paar Amerikanen. Toen ze langs haar neus weg naar de familie Cazals informeerde, vertelde hij dat de twee ongetrouwde zusters in aparte torens van het kasteel woonden en al veertig jaar niet meer met elkaar gesproken hadden.

'Wat valt er ook allemaal te zeggen?' had hij laconiek opgemerkt. 'On parle trop.' Waarna hij in de rubberen bal van zijn trompet had geknepen en gul 'rondje voor de patron!' had geroepen. Maar behalve Ella zaten er alleen twee oude mannen aan de bar. Ze kregen alle drie een ape-

ritiefje van het huis aangeboden: witte wijn met grape-
fruitlikeur.

'Maar we zorgen goed voor die oudjes,' vertelde Serge
trots, 'we brengen hun elke dag te eten.' Zijn vrouw, een
kleine blondine, schudde lachend haar hoofd: 'Je over-
drijft!' Serge trok zijn wenkbrauwen verbaasd omhoog.
'Helemaal niet. Isa, onze dochter, hangt elke dag een tasje met het brood van de vorige dag aan hun deur, want die
vieilles hebben dan wel ruzie én een kasteel, maar geen
geld voor een verse baguette.'

Ella pakte haar laptop uit haar tas, typte het wifi-adres
in en opende haar mailbox. Nog geen antwoord van Tobias. Zo gaat dat met kinderen, dacht ze. Eerst vragen ze
van alles aan jou, totdat je er bijna doof van wordt, en vervolgens draaien de rollen zich om en begin je zelf te zeuren.

Er was wel een bericht van Cordelia Richter. Ze was
verheugd weer iets van haar te horen, bedankte haar voor
haar mail, maar ze geloofde niet dat de miniatuur het
werk van de Meester van Kleef kon zijn. De bladspiegel
was anders, net als het kleurgebruik en de margedecora-
ties. Ze was in New York, en zou de foto nog aan de con-
servator van The Morgan Library laten zien, maar het zou
haar erg verbazen als dit een van de elf ontbrekende miniaturen was. Ella stuurde David een mail en vertelde dat ze
inmiddels in de Gard was aangekomen. De zoektocht naar
de maker van de miniatuur had helaas nog niet tot een re-
sultaat geleid. Misschien een reden te meer om de komende dagen in Uzès af te spreken.

Toen opende ze nogmaals het bericht van de Parijse archieven. Na een half uurtje klikken en doorklikken op de
links van de digitale stamboom van de familie Cazals-Les
Thermes begon het haar te duizelen. Ze legde de laptop
weg en keek naar de dansende vlammen in het vuur. Wat

moest ze ook met die Franse familie? Of liever: wat moest die familie met haar? Die oude dametjes in dat kasteel zouden haar ongetwijfeld niet met open armen ontvangen.

Ze pakte een pook uit de bak naast de haard en porde tegen de gloeiende houtblokken. Rode vonken spatten van het geblakerde hout en dwarrelden omhoog, de brede schoorsteen in. Ze wist nog altijd niet of haar moeder uit schaamte of onverschilligheid pas zo laat met dat verhaal over haar betovergrootmoeder op de proppen was gekomen.

Misschien was er wel helemaal geen reden voor haar zwijgen. Het verleden interesseerde haar moeder simpelweg niet. Dat was voor Ella misschien moeilijk voor te stellen, omdat zij altijd over de geschiedenis gebogen zat en van een paar oude stenen of miniaturen al opgewonden kon raken. Maar voor veel mensen was het verleden gewoon iets wat voorbij was en achter hen lag, en waaraan ze verder geen aandacht hoefden te schenken. Over tot de orde van de dag, was hun devies, en 'gedane zaken nemen geen keer,' zoals haar moeder altijd zei.

Maar het verleden is geen gedane zaak, dacht Ella, terwijl ze opstond om haar glas bij te vullen, want het keert steeds opnieuw terug, in dromen en herinneringen, maar ook in vermoedens en vage angsten. Het verleden is zelfs geen verleden, maar een springplank naar het heden. Alles wat reeds gebeurd of voorgevallen is, bundelt zich samen tijdens de sprong in het ongewisse van het nieuwe moment. Maar hoe legde ze dat in vredesnaam aan haar moeder uit? Er ging geen dag voorbij dat ze niet aan haar dacht en ze wenste vurig dat alles weer normaal zou worden, maar ondertussen durfde ze niet eens de telefoon meer op te nemen. Er was te lang gezwegen. Er was te veel verkeerd gegaan.

Lang was ze de naarste episoden van haar jeugd vergeten, totdat ze twaalf jaar geleden met een glas champagne in haar hand op een receptie had gestaan en voor het eerst de man terugzag, die haar als meisje had belaagd: Meijer, de vader van haar oppaskinderen. Zodra hij haar herkende, ze stond op een meter of vijf van hem vandaan, bleef hij als aan de grond genageld stilstaan. Terwijl hun blikken zich enkele seconden in elkaar vastgrepen, werd er in Ella's hoofd een film in de spoel gezet, het licht om haar heen doofde, en vervolgens zag ze alleen nog het interieur van zijn peperdure BMW: de leren banken, de lichtjes op het dashboard, haar oude spijkerbroek met de goddank haperende rits, het gouden kettinkje om zijn hals. Uit de speakers klonk muziek – Barbra Streisand – en zijn stem: 'Jij wilt dit ook, dat weet ik zeker.'

Toen draaide Meijer zich spoorslags om, en beende naar de uitgang. Ze zag zijn rug, de grijze winterjas en de grote, haastige stappen waarmee de vader van de twee meisjes op wie zij regelmatig had gepast zich van haar verwijderde. De film speelde ondertussen maar door. Ze zag het knopje van de deur dat ze uiteindelijk had weten open te krijgen, de rode klinkers van de straat waarop ze met een klap belandde, de grassprieten waarmee ze haar mond afveegde, nadat ze van de auto was weggeholt en voor de schutting van hun tuin had staan overgeven. Haar ouders hadden voor de televisie gezeten en ze was meteen naar boven gelopen. Ze had de gescheurde blouse in een la verstopt, en was in bed gekropen.

Toen ze van de receptie terugreed naar huis overheerste eerst de verbijstering over dit vergeten, en vervolgens over haar zwijgen. De dagen erna volgde de ene flashback na de andere, alsof die ene herinnering een hele keten van verdrongen beelden in werking had gezet. De tijd werd in zijn achteruit gezet en hoestte de beelden op, die ze zo lang was vergeten; het geschade vertrouwen, het gebrek aan veiligheid. Blijkbaar had ze zich tot haar vijfendertigste levensjaar alleen datgene herinnerd waaraan ze behoefte had gehad. De eerste helft van je leven wil je groeien, dacht ze, je wilt vooruit, koste wat kost, en je kiest de beelden die daarbij passen. Daarna begint geleidelijk of plotseling en onverwacht, zoals bij haar, het omzien, in verwondering of met weerzin, maar ontsnappen kun je niet.

Het weerzien met Meijer had haar leven in een vrije val gebracht. Alles veranderde. De herinneringen aan haar jeugd, de verhouding met haar ouders, zelfs haar huwelijk met Bernt. Er was iets vrij komen te liggen, dat haar dringende aandacht behoefde, ook al zagen anderen de noodzaak daarvan niet.

Uiteindelijk vertelde ze ook haar ouders wat er was gebeurd en waarom ze had gezwegen. Haar vader was uit zijn stoel opgestaan, zijn armen slap bungelend langs zijn lichaam. Met een vreemd verwrongen gezicht had hij gevraagd of er iets was dat hij kon doen. 'Het is al goed, pa,' had ze met afgewend gezicht gezegd, want ze kon zijn houding, zijn blik niet verdragen. En het was ook goed geweest, hoe bescheiden ook, het had hen dichter bij elkaar gebracht, maar haar moeder had in alle toonaarden gezwegen.

Voordat ze ging slapen liep Ella naar buiten, wierp een blik op de met sterren bespikkelde hemel en luisterde naar het geruis van het water van de Alzon achter in de tuin. Ze zette nog een paar passen verder over het grasveld en bleef toen staan.

Op de oever stond een ree. Toen ze Ella hoorde, richtte ze even haar nek op, maar stoof niet meteen weg. Een paar seconden lang bleef ze Ella aankijken, haar oren gespitst, haar vochtige ogen glanzend in het maanlicht. Het was een ontmoeting, er werd iets gezien en gedeeld, ook al werd er geen woord gewisseld. Toen draaide de ree zich om en draafde ze weg. Het witte pluimpje van haar staart verdween tussen het donkere loof van de bomen.

Ze liep naar binnen, sloot de deur goed af en beklom de smalle houten trap naar boven. Boven haar hoofd kraakten de houten spanten. Toen ze in bed lag hoorde ze iets ritselen onder de zoldering. Geen muizen, alsjeblieft. Ze draaide zich op haar zij en trok het dekbed nog iets hoger op. Om haar heen strekte het donker zich uit. Ze kon geen hand voor ogen zien. Misschien moest ze toch dat luik op een kier zetten.

'Tel je zegeningen,' dacht ze. Het was een van de Bijbelspreuken die haar moeder als een soort mantra's declameerde. 'Tel ze een voor een en vergeet er geen,' mompelde Ella voor zich uit, terwijl ze het frame van het bed tegen haar voeten voelde knellen, en wat schuiner op het matras ging liggen.

Je bent in het zuiden, dacht ze. Je ligt droog en je hebt een dak boven je hoofd.

Hoewel ze de muren niet kon zien leek het alsof ze dichterbij kwamen. De donkere kamer om haar heen leek te krimpen, het zwarte vierkant sloot haar steeds meer in. Ze lag in een ruimte, die er geen was, in een duisternis die alles opslokte en haar het ademen benam. Er was geen ruimte, geen beweging, geen tijd.

Abrupt gooide ze de deken van zich af, liep naar het raam en zette het luik op een kier. Na een paar minuten kon ze vanuit haar bed de contouren van het raam zien, en even daarna ook de stoel met haar kleren erop, de ladekast met de handdoeken en de lampetkan. Toen hoorde ze opnieuw geritsel op zolder.

Haar ogen waren inmiddels gewend geraakt aan het donker. Het zwarte vierkant werd doorbroken door lijnen en lichtbanen. Er ontstond ruimte tussen de vlakken. Gedachten en herinneringen doken op, de tijd begon weer te tikken.

Ze had haar vader een keer gebeld, toen er in haar studentenkamer een muizenplaag was uitgebroken. Midden overdag waren ze kriskras door de kamer geschoten. Hij moest bij de eindexamens surveilleren, maar had een vervanger geregeld en was meteen naar haar toe komen rijden. Eerst had hij als een dolleman in haar kamer staan stampen om de muizen te verjagen. Vervolgens had hij alle gaten en kieren dichtgespoten.

'Knappe jongen die hier nog binnenkomt,' had hij grijnzend opgemerkt.

Tel je zegeningen, dacht Ella. Muizen verjagen en boekenplanken timmeren, dat ook. Tel ze een voor een en vergeet er geen. Fietsbanden vervangen, grappen voor het goal leggen en soms die blik waaraan ze zich had volgezogen, vol voorpret en verwachting, alsof hij erop rekende dat ze zijn dromen wel zou waarmaken, alsof zij zijn handlanger in grappenland was. Hij was haar held, haar eerste liefde, haar eerste vijand. En geen moedertjelief had dat laatste weten te verhelpen.

Na een half uur woelen stond ze weer op en liep naar beneden. Ze zette een kop thee en ging met haar schrift voor de nagloeiende kolen in de open haard zitten. Morgen zou ze naar de brug gaan en een wandeling langs de rivier maken. Ze dacht aan de zomers in het water, en aan het meisje, dat ondanks al het zwijgen en vergeten zichzelf had weten te redden.

4

We liggen op onze handdoeken naast de brug te zonnebaden. De hele middag hebben we gezwommen en nu liggen we uit te rusten op een verscholen plek tussen de rotsen. Ik voel me loom en voldaan. Marleen is deze zomer voor het eerst op de camping, we zijn meteen vrienden geworden. Ze is lang en heel lenig en duikt in één strakke, vloeiende lijn van de rotsen; ze heeft elke spier van haar lichaam onder controle. Ze is dan ook turnkampioene van Zuid-Holland. Ze strekt zich helemaal uit, voordat ze in het water duikt, haar armen omhooggestrekt, haar borst helemaal vooruit, terwijl ik mijn armen tot op het laatst voor mijn borst gevouwen houd en er dan snel en rommelig induik.

Naast haar voel ik me een klungel, maar Marleen zegt dat ik veel beter Frans spreek dan zij. Dat is ook zo, maar daar heb je met duiken dan weer niets aan. We liggen met elkaar te kletsen, en af en toe kijk ik naar haar, met toegeknepen ogen tegen het felle licht. Achter Marleens gezicht zie ik de bogen van de brug trillen van de warmte. Er lopen een paar mensen overheen, zwarte stipjes, als vliegen op een korst brood.

De zon brandt op mijn huid en ik kom half overeind en reik naar de fles zonnebrandcrème in mijn tas. Dan zie ik iets onbegrijpelijks en gil. Marleen schiet overeind.

Vlak voor ons staat een man, met een blauwe zwembroek op zijn knieën. Eerst zag ik alleen die zwembroek, met van die witte zeilbootjes erop, en toen pas daarboven zijn hand, die woest trekkende gebaren maakt. De man kreunt en gromt, zijn mond staat half open en zijn gezicht is roodaangelopen. Hij zet nog een stap dichterbij.

We vliegen overeind, graaien onze tassen en handdoeken bij elkaar en zetten het op een lopen. We kijken niet meer achterom en hollen in de richting van de camping. We stuiten op het stenen muurtje dat bijna net zo hoog is als wijzelf. Maar ik denk niet na over de hoogte, zet mijn rechtervoet ertegenaan, en spring er gewoon overheen.

Wegwezen, is het enige wat ik denk. Met één sprong beland ik achter het muurtje. Marleen gooit haar handdoek en tas eroverheen en klautert er dan met enige moeite zelf over. Samen rennen we het hele stuk naar de camping en ploffen uitgeput op de tuinstoelen voor onze tent neer.

'Wat is er met jullie?' vraagt mijn moeder.

Marleen wil iets zeggen, maar ik ben haar voor.

'Niets,' zeg ik. 'We hebben alleen heel hard gezwommen.'

We krijgen een glas citroenlimonade van mijn moeder. Zodra Marleen haar glas heeft leeggedronken, staat ze op en loopt met gebogen hoofd van onze tent weg. Ze zegt me niet eens gedag.

'Tot vanavond!' roep ik haar achterna.

Ik schaam me voor mijn leugen, maar ik kan geen risico nemen. Ik wil Marc vanavond zien. Zwijgen is beter, denk ik, als ik naar mijn tentje loop en op mijn luchtbed ga zitten. Zwijgen is het veiligst. Net als toen die vader van Lesanne en Fabiola mij in zijn auto begon te zoenen en met zijn vieze vingers overal aan me zat. Ik heb ze nooit meer gezien. Elke keer als hun moeder belde, zei ik dat ik te veel huiswerk had. Zwijgen heeft veel voordelen. Je hoeft niets uit te leggen, je krijgt geen straf en je kunt het meteen weer vergeten.

Het is snikheet in de tent, maar toch doe ik de rits dicht, trek mijn natte bikini uit en ga languit op mijn slaapzak liggen. Het is een bende in mijn tent. Overal liggen vieze kleren en handdoeken en zand. Ik kijk naar het gele tentdoek boven mijn hoofd. Er zitten dode muggen en bloedvlekken op. De zon prikt er dwars doorheen.

De smeerlap. En dan die gekwelde uitdrukking op zijn gezicht, alsof hij pijn had in plaats dat hij ons de stuipen op het lijf joeg.

Het is zo warm in de tent, dat ik het niet meer uithoud. Ik doe de rits open en ga met mijn hoofd er vlak voor liggen. Ik kijk naar het verdroogde gras voor de tent en naar de rivier die glinstert in de namiddagzon. Niets zal mij van een nieuwe duik weerhouden. Mijn moeder zit achter de campingtafel aardappels te schillen, mijn vader leest opnieuw de krant van gisteren. Blijkbaar kan de angst mij vleugels geven. Ik kan zelfs beter springen dan Marleen.

'Kan ik misschien helpen?' vraag ik aan mijn moeder, die verrast opkijkt. Mijn vader trekt zijn wenkbrauwen op en tuit zijn mond. 'Zo, zo,' mompelt hij grijnzend boven zijn krant, 'die is wat van plan.'

Die avond zegt Marleen op het terrasje van Le Saloon dat ze niet begrijpt hoe ik over dat muurtje ben gesprongen. Ze zit beteuterd voor zich uit te kijken.

Ik vertel aan Marc wat er is gebeurd en probeer er nog een grap van te maken, maar hij kan er niet om lachen. Hij zegt dat er vaak rare gasten bij de brug rondlopen en dat we echt beter moeten opletten. We moeten volgens hem dichter bij het water blijven, bij de andere zwemmers, en niet in ons eentje zo ver naar achteren gaan liggen.

Ik leg mijn hoofd in zijn nek, en snuif de geur van zijn

haar op, zweet vermengd met kaneel. Hij slaat zijn arm om me heen. Er kan mij nu niets meer gebeuren. We kopen een ijsje en lopen naar de jukebox om een plaatje op te zetten. Dan begint Marleen opnieuw over dat muurtje te zeuren. Niet die enge man, maar mijn sprong zit haar nog het meeste dwars.

5

Welke weg ze ook insloeg, vanuit Collias of Remoulins, op een zeker moment wachtte haar ergens wel een slagboom of een hekwerk. Van alle kanten werd Ella de toegang tot de brug versperd. Zowel op de linker- als rechteroever van de rivier werden de bezoekers naar grote parkeerterreinen verwezen, waar je voor 15 euro een kaartje moest kopen om de brug te zien.

Het was geen onoverkomelijk bedrag, maar ze was niet van plan dat te betalen. Ze wilde niet over een van de nieuw aangelegde paden naar de brug toe lopen en dus reed ze weer van het parkeerterrein weg. Enkele honderden meters verder zette ze de auto in de berm, naast het hek dat de toegang tot het terrein rond de brug afsloot.

Hekken bouwen leek wel het nieuwe masterplan van de eenentwintigste eeuw, dacht ze en stapte uit.

Ze liep langs het hek in de richting van de rivier. Daarna volgde ze de geul van een droogstaande beek en vond helemaal aan het einde daarvan een opening in het hek. Ze glipte erdoor en liep door het struikgewas naar beneden. Ze kwam uit bij een rotsplateau van zeker dertig meter breed en het duurde even voordat Ella zich realiseerde dat ze naar de bodem van de rivier stond te kijken.

Verwonderd keek ze om zich heen. Waar was de rivier gebleven? Over de rotsen liep ze naar een strandje van grove kiezels, waar vroeger het diep kolkende midden van de rivier moest zijn geweest. De ooit zo weidse Gardon was een mager stroompje geworden, dat bedaard tussen de rotspartijen door sijpelde. Van de ene naar de andere kant zwemmen was nog slechts een kwestie van een paar slagen maken.

Ze onderdrukte de neiging om meteen naar de auto terug te lopen. Herinneringen mochten verdampen, maar een hele rivier kon toch niet zomaar droogvallen? Ze liep nog enkele tientallen meters verder over het brede kiezelstrand, en zag toen de brug voor zich liggen, de bogen glommen zachtroze in de voorjaarszon.

Daar lag hij dan, de brug van haar jeugd, nog altijd even imposant en weergaloos mooi als vroeger. Ze voelde een lichte triomf dat het haar ondanks alle afrasteringen toch was gelukt oog in oog met haar brug te staan. De brug had iets kwetsbaars gekregen, vond ze. Hij werd met hoge, ijzeren palen ondersteund, kettingen aan de bogen, lichtmasten eromheen. Het terrein rond de brug was kaalgeschoren. Er waren heel wat bulldozers aan te pas gekomen om de natuur helemaal glad te trekken. De ooit met dichte bossen begroeide berghellingen hadden plaatsgemaakt voor strakke uit cement gegoten wandelpromenades.

Ella ging op het rotsplateau naast de rivier zitten. Een plastic zakje van de Auchan dreef op het water voorbij, gele schuimkoppen klotsten tegen de rotsen. In het plateau zaten geulen en bassins met stilstaand water, planten en zwerfvuil erin. Ze duwde met de punt van haar schoen in het water, een brakke geur steeg op.

Ze dacht aan haar zwempartijen in het heldere water van de rivier. De hele zomer was ze tussen beide oevers heen en weer gezwommen, naar de bodem gedoken om in de diepte een kiezelsteen op te rapen, had ze languit op haar rug gedreven, de schittering van licht om haar heen.

In het water was ze nooit bang geweest. De rivier was haar thuis geweest, een tweede huid, alsof er geen scheiding tussen haar en het water bestond.

Die rivier was verdwenen. De Gardon stroomde nog, dat wel, maar verder leek hij in niets op de rivier uit haar herinnering. Vroeger had hij haar een glinsterende, mysterieuze wereld voor ogen getoverd, nu was het een onbeduidende beek geworden, die haar bijna in de lach deed schieten. Was dit de wilde rivier uit haar jeugd?

Ze keek ongelovig om zich heen. Misschien had ze er in haar verbeelding ook te veel grootsheid en schittering aan toegevoegd.

Dat krijg je ervan, dacht Ella. Als je je herinneringen achternareist, word je door de tijd zelf ingehaald. Natuurlijk kon ze niet terugkeren naar dezelfde plek, want de rivier was, net als zij, met de jaren veranderd van vorm, van bedding, van kracht. Hij stroomde weliswaar nog altijd voort naar zijn eindbestemming, verlegde zijn loop en kronkelde hier en daar om nieuwe obstakels heen, maar herhaalde zichzelf niet, hij keerde niet terug in de tijd.

Ze zag een gladde, puntvormige steen voor zich op de rots liggen, raapte hem van de grond en ging staan. Ze boog licht door haar knieën en strekte haar rechterhand met de steen naar achteren.

Ze herinnerde zich de bezwerende formules die ze vroeger uitspraken als ze de stenen over het water zeilden. Als de steen zeven keer sprong, dan mochten ze een ijsje kopen. Zo vaak had ze in precies deze houding aan de rivier gestaan. Ze herkende elke buiging van haar lichaam, het strekken van haar arm, de gedraaide heup, en concentreerde zich op het punt waar het water onder de middelste steunpilaren van de brug door stroomde.

Ze wierp de steen in een strakke baan stroomopwaarts. Even voelde ze de overmoed van haar jeugd. Gaat er iets fout? Werp gewoon een nieuwe steen over de rivier.

Geen slechte worp, dacht ze, terwijl ze de springende steen over het water volgde, drie, vier, vijf keer, maar toen zakte de zon door de bogengalerij en verblindde haar blik.

Over het kiezelstrand liep ze weer terug. Dicht struikgewas, aangespoelde takken en boomstammen, flessen en een plastic tentzeil, het verleden van de rivier had zich tegen de oevers verzameld. Ze baande zich er een weg doorheen, maar nergens vond ze de geul van de drooggevallen beek.

Even verderop was er voor de afrastering een stuk rots vrij komen te liggen. Daar klauterde ze omhoog en stak een grasveldje over, dat bij een dennenbos uitkwam. Ze rook de prikkende harsgeur van de pijnbomen, hoorde het ruisen van de naalden in de wind, en liep over een paadje het bosje in. Toen pas herkende ze de plek. Ze was op de camping beland.

Ze vervolgde het paadje en liep zonder te aarzelen naar de kampeerplek met nummer 105. Dit was hun plek. Verheugd keek ze om zich heen. Rechts zag ze de hoge rots liggen waar ze elke dag tientallen keren vanaf gedoken waren. Het veldje was door bremstruiken en jeneverbessen bijna gehalveerd, maar het uitzicht op de rots was precies hetzelfde gebleven. Ze stond nu op de plek waar haar tentje altijd had gestaan, schuin tegenover de vouwcaravan, een beetje terzijde van de anderen. Ze had hem altijd met de opening naar de rivier opgezet, een matje ervoor, het was haar wigwam, haar tempel, haar eigen huis geweest.

Voor het eerst die middag voelde ze een lichte opgetogenheid. Daar lag hun rots, met zijn grillige, uitstekende vormen en halverwege het stenen tussenplateau, waarlangs ze na iedere duik weer omhooggeklauterd waren.

Ze zocht het paadje dat vanaf hun kampeerplek naar de rots leidde. Ze duwde een paar struiken opzij en zag het toen voor haar onder de pijnbomen liggen. En terwijl ze over het met dennennaalden bezaaide pad liep zwol het verleden aan, als een steeds luider wordende melodie. Ze herinnerde zich hoe ze 's ochtends na het wakker worden op blote voeten over die zanderige bodem met de droge, knisperende naalden was gehold om als eerste een duik in de rivier te nemen. Het gevoel van vrijheid als ze van de rots af zweefde, het diepe, koele water in. De rivier op zwemmen, halverwege omdraaien en dan de brug in de verte zien schemeren. Het frisse water dat haar omhulde, de vogels die over het water scheerden. Beter dan een douche of welk ligbad dan ook was deze rivier, waarin ze elke ochtend op slag wakker werd.

Boven op de rots zag ze dat de donkere diepte waar ze vroeger in doken nu nog slechts een plas van misschien anderhalve meter diep was. Levensgevaarlijk om er zelfs maar vanaf te springen. Ella ging midden op de rots zitten. Weemoed overviel haar om alles wat verloren was, het water, de tijd, haar jeugd, die levenslust waarmee ze elke ochtend de nieuwe dag begroette. Vroeger was er die oneindige rijkdom waarin ze kon zwemmen, nu restte haar slechts nog een handvol herinneringen. Ze streek met haar handen langs het geërodeerde oppervlak van de rots, de opstaande richels en gleuven.

Aan de overkant van de rivier stonden twee mannen te vissen. In de verte hoorde ze een ronkende motor op de weg naar Collias. Ze speurde de oever af en ontdekte op een boomstronk een kleine, blauwe vogel. Even later scheerde hij over het water. *Martin le pêcheur.* Klein, blauw en razendsnel. Ze zag hem rakelings over het wateroppervlak scheren, een insect eruit vissend, en als een

straaljager zijn weg naar de overkant vervolgend. Diezelfde ijsvogel schoot vroeger vlak voor haar voorbij als ze op
haar luchtbed stroomafwaarts in de richting van Remoulins dreef.

Haar herinneringen lagen voor een deel ook in het landschap zelf opgeslagen, dacht Ella, ze slingerden tussen de
met boomtakken en struiken bezaaide oeverwal en zaten
misschien ook nog ergens tussen die blauwe veren van
de ijsvogel verborgen. Ze zaten niet alleen in haar eigen
hoofd, maar hadden zich ook vastgezet in de grassprieten
en pijnappels op de zanderige, rotsachtige oever en zelfs in
het stroompje water dat nog restte van de eens zo onstui-
mige rivier. Ze was niet de enige archivaris van haar herinneringen.

Ella keek naar het laagstaande water van de rivier, dat
langzaamaan haar voorbij sijpelde. De herinneringen waren er nog, ook al was de rivier veranderd. Niets verdween
ooit volledig uit het zicht, alles keerde in een andere vorm
weer terug. Het had dus geen zin om nostalgisch naar
vroeger terug te verlangen noch om er angst voor te hebben. Ze moest alles, het mooie en angstaanjagende, durven opnemen in wie ze nu was. Ze moest weer eens wat
vaker dat meisje durven zijn, voor wie het midden van de
rivier een groot en spetterend heden was, en elke duik in
het water de omarming daarvan.

6

Het was een donkere, olieachtige nacht. De wind was opgestoken en sloeg tegen de klepperende luiken aan. Ella
schonk een glas wijn in en bladerde in haar schrift. Nu ze
die middag de brug en de rivier had teruggezien, wist ze
niet goed hoe ze haar herinneringen aan de zomers in de
Gard moest beoordelen.

Hoe kon ze terugkeren in de tijd, zonder de tijd zelf een
loer te draaien? Ze kon niet zomaar een brug tussen toen
en nu slaan en doen alsof ze de ene oever net zo scherp en
helder voor ogen had als de andere. Want dat zou betekenen dat er ondertussen geen tijd was verstreken. Ze kon
hooguit haar herinneringen opnemen in een nieuw verhaal.

Als kind bouwde ze altijd een huis in een huis. Ze verzamelde haar boeken en schriften en schetsblokken in een
kring om zich heen en ging er dan middenin zitten. Als
een jonkvrouw in de toren, dacht Ella spottend, die met al
die spullen een denkbeeldige cirkel om zichzelf heen trok.
Ze schiep hele werelden op papier, geconcentreerd en aandachtig, tekenend en kleurend. Kinderen zijn gelukkig
dankzij hun verbeelding, dacht ze, het is hun manier om
zichzelf een plek in de wereld te geven.

Tijdens die laatste zomers in de Gard waren het echter niet langer haar boeken en schriften die haar een thuis
boden. Er was een nieuwe hartstocht in haar opgedoken,

veeleisender van aard; ze kon aan niets anders meer denken. Haar schetsblokken lagen in een hoek van de tent te verkommeren, haar boeken ongelezen naast het luchtbed. De dagen gingen grotendeels op aan wachten, dromen en het berekenen van kansen, het detecteren van motorgeluiden en het verzinnen van smoezen en uitvluchten. Alles om slechts één uurtje met haar nieuwe passie te zijn. De rest van de tijd lag ze op haar luchtbed in de snikhete tent, lethargisch van verliefdheid, zelfs de lust om te zwemmen was haar tijdens die allerlaatste zomer bijna vergaan.

Ze werd hoogmoedig, roekeloos en hunkerend van verlangen.

Terug in Haarlem vielen de brieven met de rode postzegels op de deurmat en stortte ze zich op alles wat maar Frans was: de chansons van Barbara en France Gall – 'Ella, Elle l'a' – en alle Franse romans met *amour*, *amant* of *passion* in de titel. Niemand die haar acute aanval van francofilie begreep; haar broer, die de hele dag Deep Purple draaide, nog het minst. Maar de taal betoverde haar. Zelfs als ze de romans niet begreep, wist ze waar ze op uitdraaiden: liefde en dood, ontmoeting en afscheid.

Haar cijfers voor Frans vlogen omhoog, tot grote verwondering van mevrouw Hoenderhof, die sabotage vermoedde en haar bij de repetities nauwlettend in de gaten hield. Maar ze had geen lesboek op schoot noch waren haar armen vol spiekbriefjes geplakt. Ze kende de antwoorden alsof ze haar hele leven lang al Frans had gesproken; het was haar geheimtaal, haar liefdes-Sanskriet.

Ze begon steeds vaker te spijbelen, uit baldadigheid en rebellie, maar ook omdat de eenzaamheid om haar heen te groot was geworden. Liever ging ze in een café een roman zitten lezen, die haar adolescente ziel nog enig onderdak wist te bieden. Die romans vertelden haar in steeds andere bewoordingen hetzelfde verhaal: dat de liefde de ene hand uitstak naar het leven en de andere uitreikte naar de dood. Ze las en las en probeerde te begrijpen.

Na het eindexamen, dat ze ternauwernood haalde, wilde Ella naar de kunstacademie, maar de spot van haar ouders – 'jij wil kunstenaar worden?' – sloot die keuze uit. Het werd kunstgeschiedenis, een zwaarbevochten compromis, maar in ieder geval beter dan rechten of economie, waarop zij hadden aangedrongen.

Ella schonk zichzelf nog een glas wijn in en staarde naar de vlammen in de open haard. Wanneer begon dat meisje dat bereid was om zoveel risico's voor haar eerste liefde te lopen zich van haar af te wenden? Wanneer kwam de klad in al die levenslust en overmoed? Was dat een natuurwet of haar eigen beslissing? Misschien verdween die Amazone toen ze de zomer erop besloot niet naar de Gard terug te keren en in plaats daarvan met een vriendin op vakantie te gaan.

Het had als verraad aan Marc gevoeld, maar de zes weken durende angst voor een mogelijke zwangerschap van het jaar ervoor had haar tot die keuze gedwongen. Ze kon niet haar hele leven achter een vakantievriendje aan blijven lopen en zwanger wilde ze al helemaal niet worden. Daar had haar vader immers een stevig veto over uitgesproken en keer op keer gewaarschuwd dat haar leven dan afgelopen zou zijn.

Misschien had ze daarom die breuk met Marc wel geforceerd, en vervolgens ook met haar ouders, haar broer, Haarlem, haar jeugd, de zomers in de Gard, ze was zo snel mogelijk op kamers in Amsterdam gaan wonen. Het meisje dat zich zomer na zomer aan het water van de rivier had gelaafd begon al te vervagen.

Ze studeerde hard, propte haar hoofd vol met periodes, genres en stromingen, en schopte het zelf tot student-assistent. Dankzij Cordelia Richter werd middeleeuwse kunst haar specialisatie, maar even later stortte ze zich met evenveel ambitie op de moderne kunst.

Ze luisterde niet meer naar Franse muziek en Franse brieven werden er ook niet meer geschreven, maar wel sprong haar hart nog op als ze in de stad een auto met een Frans nummerbord van de Gard voorbij zag komen. Dan was ze nog wel bereid om die auto op haar fiets achterna te racen, net zo lang totdat de inzittenden eruit zouden stappen en iets tegen elkaar zouden zeggen, het liefst iets met *bjeengg* of *vjengg* en dat accent alleen al het meisje tevoorschijn zou toveren dat zich tijdens haar studie uit de voeten had gemaakt.

Misschien was ze daarom wel teruggegaan, dacht Ella, terug naar de plek waar haar liefde voor een landschap, voor een geur, voor een tongval en een olijfkleurige huid ooit begon. Ze wilde zich die liefde herinneren, inmiddels zo ver weg dat deze zich alweer voegde bij haar kindertijd. Die liefde was voor haar van levensbelang geweest, wist ze, veel meer dan een adolescente oprisping van hormonen. Daarom was ze zich Marc altijd blijven herinneren, net zoals die pinguïn, die jaarlijks duizenden kilometers zwom om naar een Braziliaanse visser terug te keren die hem ooit doodziek uit de oceaan had gevist.

*

Midden in de nacht werd ze wakker uit een nachtmerrie, zwetend tussen de klamme lakens. Ze stommelde in het donker haar bed uit en knipte de lamp boven het trapgat aan. Haar handen en voeten tintelden, ze greep zich vast aan de leuning en liep naar beneden, de kamer in, die nog slechts verlicht werd door de gloeiende kolen in de haard. Ze dronk een glas water, en staarde om zich heen. Naar de donkere meubels, het rode schijnsel van de haard, haar schrift op de rotanstoel. Stoffige duisternis, de geur van as, rook en verbrand hout. Ze greep naar haar schrift.

'11 maart. Het dieptepunt qua dromen heb ik nu wel bereikt, mag ik hopen. Het is midden in de nacht, maar ik moet dit opschrijven, anders kan ik nooit meer slapen. Ik zit te trillen op de stoel voor de haard, hoeveel dieper moet ik nog zinken? Het was zo erg dat ik zelfs voor muizen of indringers geen angst meer voel. Niets buiten mij kan mij nu nog enige angst aanjagen. Dieven, insluipers, ik lach erom. Het monster zit in mijzelf, en dus zal ik het zelf moeten zien te verdrijven.

Ik zat in mijn droom met pa en ma aan een feestelijk gedekte tafel. Op het witte tafelkleed staan bloemen en het theeservies met de schaaltjes chocola en koekjes. We drinken zwijgend van onze thee, het witte laken gaapt mij aan, eromheen heerst duisternis. Dan zegt mijn moeder: 'Ze kan best agressief zijn, vind je niet?'

Mijn vader zegt niets, zijn hoofd knikkebolt zacht op en neer.

'Doe niet zo raar!' roep ik tegen mijn moeder, want er is zojuist iets vreselijks gebeurd. Ik vlieg overeind. Het tafelkleed kleurt langzaam rood.

'Hoor eens even, van die toon ben ik niet gediend,' zegt mijn moeder op pedante toon. 'Het is wel de sterfdag van je vader, hè?'

Pa zakt nog meer voorover in zijn stoel, ik zie zijn achterhoofd met de donkere krullen, hij knikt wiegend voorover, als een baby die in zijn fietszitje in slaap valt.

'Ja, dat weet ik ook wel!' roep ik buiten mezelf van woede. 'Dat hoef je mij toch zeker niet te vertellen!'

Mijn moeder nipt onverstoorbaar van haar kopje thee. Er is geen enkele emotie van haar gezicht af te lezen.

Dan valt pa met een harde klap voorover op de tafel.

Tussen zijn schouderbladen zit een mes, alleen het zwarte handvat is nog zichtbaar. Zijn hoofd ligt in een plas bloed. Ik kijk naar mijn handen, ze zijn rood van het bloed en doen vreselijk pijn. Ik kan het niet geloven, maar toch weet ik het zeker. Ik ben de enige aan tafel die het mes tussen mijn vaders schouders kan hebben gestoken. Ik voel het lemmet in mijn handen gloeien.

'Iemand nog een chocolaatje?' vraagt mijn moeder.

Ella gooide het schrift op de grond, stond op en liep met zware voeten naar de trap. Halverwege de trap ging ze weer zitten, haar hoofd leunend in haar handen. Onthutst staarde ze naar het donker beneden haar.

'Jezus, pa,' mompelde ze daas voor zich uit. 'Waarom is het zo'n puinhoop geworden?'

Ze wreef met haar handen over de houten trede. Ze wilde iets tastbaars voelen, iets echts, iets wat weerstand bood, materie bevatte. Ze wreef nog harder over de trede en nam heel bewust de korrelige, ruwe structuur van het hout waar. Ze voelde de nerven, het warme oppervlak, de zachte glooiing, alsof ze nu pas ontdekte wat hout eigenlijk was.

Er waaide iets langs haar gezicht, en ze keek even omhoog, en wreef toen opnieuw met haar handen over het hout van de traptrede. De fysieke sensatie van de houten structuur werkte kalmerend. Ze begon al iets rustiger te ademen, het suizen in haar oren nam af. Het is maar een droom, dacht ze, je bent onschuldig als je droomt, en vervolgens herinnerde ze zich de zolder thuis.

Ze was al vaker halverwege de trap gestrand. Ze had een voor een de treden omhoog geteld, acht, negen, tien, luid zingend, om haar angst voor het donker te bezweren, maar halverwege de trap had ze niet verder omhoog gedurfd. 'Als het je hier niet bevalt ga je je koffertje maar pakken!'

Ze durfde niet naar dat gapende, zwarte gat van de zolder boven haar te kijken, en was op de trap gaan zitten, starend naar haar blote voeten. Ze wist precies waar haar blauw met rood gestreepte koffertje achter de schotten lag, maar ze durfde het niet te gaan pakken. Ze bleef eindeloos op de trap zitten, tot ze zwaar van onmacht weer naar beneden sjokte. 'Ja hóór,' riep haar moeder, 'daar is ze weer!'

Er kwam iets haar kant op waaien, een tochtvlaag, die haar haren op en neer liet bewegen, alsof ze zachtjes werden gestreeld door de wind. De duisternis om haar heen lichtte op als de smeulende houtresten in de haard. Toen ging ze zelf ook omhoog. Het was maar een millimeter en het duurde nog geen seconde, maar het leek net of ze door een paar handen gekneld om haar zij werd opgetild. Ze kwam van de traptrede omhoog, en voelde zich zo licht worden als een pluim, als een ding met veren op de wind.

Heel even rees ze boven dit alles uit, boven de trap, de droom en het verlies, de schuld en de schande, en voelde voor een ondeelbaar ogenblik iets wat ze alleen maar als een zucht van genade kon benoemen. Vlak daarna daalde het gewicht weer in haar neer, van de noodzakelijke strijd en de individuele grenzen, de zwaartekracht en de hele bliksemse bende, maar tegelijkertijd was er ook nog het besef van verlichting, dat haar hoofd vulde met tintelingen.

Haar vader was dood, zeker, maar zij had hem niet vermoord. Ze had hem juist altijd proberen te redden.

7

De oude vrouw, gekleed in een versleten zwarte jurk met een wollen vest erover, stond kaarsrecht tegenover haar. Over de rode sjaal die ze een paar keer om haar hals had gewikkeld, bungelde een schoenveter met een bos sleutels eraan. Ze stond argwanend naar Ella te luisteren, haar hoofd afwerend naar achteren. Opeens onderbrak ze haar: 'Wilt u mij niet langer storen?' Ze zette en stap naar achteren en trok de deur dicht.

'Neemt u mij niet kwalijk,' riep Ella. 'Ik wil u eigenlijk maar één ding vragen.'

'Pardon?' hoorde ze vanachter de deur.

Ella gluurde in de donkere kier die er tussen de stenen deurlijst en de kasteelmuur gaapte.

'Ik hoopte dat u mij iets meer kon vertellen over uw familie.'

'Ik heb geen familie.'

Ze waagde nog een laatste poging.

'U woont hier toch met uw zus?'

Het gezicht van de oude dame verscheen weer om het hoekje van de deur. 'Ik woon hier alleen.'

'Maar de mensen in het dorp vertelden me...'

'Roddels en achterklap, maar verder weten ze van niets. Iedereen kan wel beweren dat ze familie van me zijn, maar ik woon hier alleen.'

Hélène was volgens Serge vriendelijk en aanspreekbaar,

maar haar zus Marie-France helaas niet. Ze was zo wantrouwend dat ze zelfs de huisarts niet binnenliet, maar staande in de deuropening het recept liet uitschrijven. Ella had duidelijk bij de verkeerde toren aangebeld.

Het had geen zin om te gaan redetwisten. Maar er was iets in het gezicht van de vrouw, dat zelfverzekerde lachje rond de dunne lippen en die koele blik in haar ogen, waardoor Ella toch nog vroeg: 'Maar waarom brandt er dan licht in die toren?'

De vrouw stak verbolgen haar hoofd een centimeter verder. 'Wie heeft het licht nu weer laten branden?'

'Uw zus misschien?'

'Hoe vaak moet ik u nog zeggen dat ik geen familie heb!'

Voordat Ella nog iets kon zeggen werd de deur met een doffe klap voor haar neus in het slot gegooid. Het rafelige touw van de deurbel bewoog zachtjes heen en weer op de wind. Ze hoorde de vrouw met veel gerammel van sleutels de trap weer op lopen. Toen werd het stil.

Ze liep de oprijlaan af. Het kasteel was in bar slechte staat: naar buiten puilende muren, ontbrekende dakpannen, vervallen kozijnen; één flinke storm en het dak zou volgens Serge instorten. Bij de andere toren aanbellen wilde ze nu niet. Ze wilde alleen maar weten of die twee zussen familie waren van Vladimir Cazals en of er misschien ergens een lijntje te ontdekken viel tussen haar en de schilder die ze twintig jaar geleden bij toeval had ontdekt. Maar daar kon ze vast ook wel op een andere manier achter komen.

Ze stak de fruitgaard door, vol roze en witte bloesem, die door een hoge schutting in tweeën was gedeeld. De ene helft was voor Hélène, de andere voor haar nukkige zuster. Elke appel, pruim en peer werd door de oudjes afzonderlijk geplukt en ingemaakt, had Serge verteld, veel meer aten ze ook niet, naast zijn oude brood.

Ella liep het dorpje weer in. Het zonlicht gleed over de daken van de huizen. Uit sommige schoorstenen stegen witte rookpluimen op, die een geur van zoethout over het dorp verspreidde.

In het café werd ze door Isa begroet, haar ouders waren naar een bruiloft in Anduze. Ella ging aan de bar zitten en kreeg een bord cassoulet voorgezet. Zware kost voor de lunch, witte bonen met worst, maar het smaakte goed. Achter haar zaten een paar mannen aan een tafeltje te kaarten. Ella vertelde dat ze op het kasteel langs was geweest en dat ze bijna van het terrein was weggejaagd.

'Dat moet Marie-France zijn geweest,' zei Isa, 'de linkertoren?'

Ella knikte. 'Ze ontkende zelfs dat ze een zus had.'

'Ze spreken al jaren niet meer met elkaar. Iets met familie en een erfenis.' Isa zette een glas rode wijn naast haar bord. 'Alle familievetes draaien hier om landgrenzen en oude huizen. Is dat bij jullie ook zo?'

'Wij hebben weer andere problemen,' zei Ella.

'Volgens mijn vader begon de ruzie toen Hélène een paar schilderijen aan iemand wilde schenken. Veertig jaar geleden!'

Ella staarde haar verbluft aan.

'O? Wat voor schilderijen?'

'Van hun neef. Hij heeft vroeger ook op het kasteel gewoond, maar hij is al jong overleden, nog geen veertig jaar oud. Ze hebben al zijn werk bewaard. Ze hopen dat hij ooit nog beroemd zal worden.' Isa schudde meewarig haar hoofd. 'Ik vind er maar weinig aan,' zei ze. 'Van die saaie vlakken, en dan ook nog eens heel somber. Ik zou ze niet bij mij thuis aan de muur willen hebben.'

'Weet je ook zijn naam?' vroeg Ella. Ze merkte dat haar handen trilden.

210

'Cazals.'

'Zijn voornaam, bedoel ik.'

Isa legde de theedoek neer en dacht na. 'Robert? Ik weet het niet meer precies. Ik heb hem zelf ook niet gekend. Eigenlijk heeft niemand het meer over hem.'

Ze keek Ella peinzend aan.

'Bent u geïnteresseerd in kunst?'

Ella knikte.

'Ja, dat is mijn vak.'

'Dan moet u bij Hélène langsgaan. Kan ze eindelijk het werk van haar neef weer eens laten zien.' Isa haalde haar schouders op. 'Ik heb geen verstand van moderne kunst, maar de boekhandel in Uzès heeft een boek over zijn werk, dus het zal toch wel iets voorstellen.'

*

De hemel hing als een Delfts blauwe schotel in de lucht. Witte wolkenslierten lieten er steeds wisselende patronen in achter. Van verre zag Ella de torens van Uzès boven op de heuvel liggen, de geel-roodgestreepte vlaggen wapperend in de wind. Ze kende het stadje goed, ze gingen er vroeger iedere week naar de markt.

Ze parkeerde haar auto bij de kathedraal en liep naar de place aux Herbes, waar de boekhandel volgens Isa onder een van de arcaden lag. Er waren geen biografieën over Vladimir Cazals geschreven. Ze kende zijn werk alleen via Poliakoff, met wie hij begin jaren vijftig aan een paar groepsexposities had deelgenomen. Ze hield van zijn geworstel met abstract en figuratief, zijn lichtgebruik en de ingehouden hartstocht die zijn werk typeerde, als een storm die net was gaan liggen.

Ze liep het plein op, met de platanen, de terrasjes en de fontein in het midden, het was nog precies zoals vroeger. Achter de fontein lag het restaurant waar ze morgen-avond met David had afgesproken. Die ochtend had ze een mail van hem ontvangen, even voorkomend als altijd. Hij verheugde zich op een weerzien, het restaurant had een uitstekende reputatie. Aan de overkant zag ze boekhandel Le Parefeuille liggen. Ze stak het plein over. Nog even en ze zou weten of het verleden nog meer verrassingen voor haar in petto had. Ze wist niet of ze zich dan opgelucht of juist bedrogen zou voelen.

Ella stapte de kleine, overvolle boekhandel binnen en bleef een poosje voor de tafel met nieuwe romans dralen. De man achter de kassa vroeg of hij haar ergens mee kon helpen.

'Ja, misschien wel,' zei ze aarzelend. 'Ik zoek een catalo-gus over het werk van Vladimir Cazals.'

'Cazals?' De boekverkoper knikte, maar voordat hij haar verder kon helpen, werd hij door een jonge vrouw achter in de winkel geroepen: 'Jean-Luc, kun je even komen?'

'Een moment, alstublieft,' zei hij.

Ella keek toe hoe hij een boek van de hoogste plank pak-te en vervolgens in de kast ernaast zocht. Alles was groot aan hem. Zijn lengte van bijna twee meter, maar ook zijn gezicht en vooral zijn neus. Er begon haar iets te dagen. Dat postuur, die naam. Toen hij met de catalogus haar kant op kwam, wist ze het zeker. Hoe hij zijn schouders licht voorovergebogen hield, als om zijn lengte te verhul-len, een paar maten te groot voor de Midi. Dat deed hij vroeger ook al.

'Is dit wat u zoekt?'

Ze pakte het boek aan en bekeek de voorkant. 'Eh... nee,' zei ze teleurgesteld. 'Hier staat Roger Cazals.'

'Dat klopt. Dat is een schilder die hier in de buurt heeft gewoond. Ik dacht dat u hem bedoelde?'

Ella bekeek nogmaals de cover. Verward streek ze een

haarlok uit haar gezicht. 'Nee, nee, ik heb me vergist, denk ik. Ik zoek een andere Cazals.'

'Dit is helaas de enige Cazals die we in huis hebben.'

Ze stonden wat onhandig naar elkaar te glimlachen.

'O, maar ik wil het toch graag kopen,' zei Ella. Herkende hij haar dan niet? Was ze zoveel veranderd?

'Voelt u zich alstublieft niet verplicht.'

Ze keek hem peinzend aan: 'Speelde u vroeger soms saxofoon?'

'Saxofoon?' vroeg de man voor haar verbaasd. 'Ja, maar dat is lang geleden. Ik kom er tegenwoordig niet meer aan toe.'

'Ik heb u namelijk horen spelen,' zei Ella, 'op de feesten van Collias en Remoulins. Ik was bevriend met Marc. Die speelde soms drums, als zijn broer verhinderd was.'

Ze kreeg een kop koffie van Jean-Luc aangeboden en ze gingen op het bankje voor de boekwinkel zitten. Eerst zat hij alleen maar naar haar te grijnzen, daarna vertelde hij dat Marc het destijds zwaar te pakken had gehad. Na die laatste zomer had hij zo'n beetje met iedereen ruziegemaakt, op school, met zijn ouders, hij had zelfs een ongeluk met zijn motor gekregen.

'Dat wist ik niet,' zei Ella geschrokken. 'We hebben nog een tijdje geschreven, maar ik herinner me niets van een ongeluk.'

Jean-Luc wierp een verlegen blik op haar. 'Dat is allemaal goed gekomen, hoor. Wij begrepen het wel. Een vakantievriendje, en het leven gaat door, maar Marc wilde dat niet accepteren.'

'Ik verhuisde naar Amsterdam, voor mijn studie,' zei Ella, 'en kwam zelden meer thuis om zijn brieven op te halen. En toen gebeurde er iets, en heb ik hem, geloof ik, ook geen adreswijziging gestuurd...'

'Ach,' zei Jean-Luc, 'zo gaan die dingen.'

'Hij was mijn eerste liefde,' zei ze, 'maar ik kwam als student in een andere wereld terecht. Ik heb hem nog wel gebeld. De laatste keer kreeg ik zijn moeder aan de lijn. Die vertelde dat hij getrouwd was en twee kinderen had.'

'Hij heeft er zelfs vier nu,' zei Jean-Luc.

Ze staarden een poosje zwijgend voor zich uit.

'En hij is dus toch fotograaf geworden,' zei Ella.

'Het is zijn grote passie, maar toen hij eenmaal getrouwd was, en kinderen kreeg, moest er geld verdiend worden en is hij bij de kerncentrale van Marcoule beland. Daar werkt hij nog steeds, fotografie is meer zijn hobby. Hij exposeert nog wel. Dit weekend doet hij weer mee aan een groepstentoonstelling in de kerk van Collias. *Kathaarse blikken*, of zoiets. Het is tegenwoordig altijd iets met Katharen.'

Ella vertelde dat ze de aankondiging op internet had gezien.

'Je moet echt gaan,' zei Jean-Luc. 'Dat zou hij geweldig vinden, na al die jaren. Er zal niet veel werk van hem hangen, twee of drie foto's hooguit, maar ze zijn altijd de moeite waard. De opening is vrijdagmiddag om vijf uur.'

'Ja, ik heb het gelezen,' zei Ella, 'maar ik weet nog niet zeker...'

'Weet je, het ontbrak Marc aan zelfvertrouwen,' zei Jean-Luc. 'Hij was ervan overtuigd dat je eigenlijk niets in hem zag. Maar dat ligt misschien toch net even anders, snap je. Het zou goed zijn als... Ach, we waren zo jong.'

Na die woorden stond hij op, hij moest weer aan het werk. Morgen was het markt, de drukste dag van de week. Hij had veel Amerikaanse klanten en moest de nieuwe voorraad Engelstalige boeken nog uitstallen.

Ella volgde hem naar binnen, betaalde voor de catalogus en kocht ook nog een wandelkaart van de omgeving rond Uzès.

'Tot vrijdag!' riep Jean-Luc haar na, toen ze de winkel uit stapte.

Ze draaide zich om, en knikte. 'Tot vrijdag.'

Op het terras naast de boekhandel bestelde ze koffie en haalde de catalogus uit haar tas. Het papier was vergeeld en er steeg een muffe geur van de bladzijden op. Ella bekeek de reproducties en verbaasde zich hoe sterk het werk van deze Roger Cazals op de schilderijen van Vladimir leken. Dezelfde abstracte vlakken, dezelfde spanning van het clair-obscur.

Ze wierp een blik achter in de catalogus, maar er stond geen bibliografie of notenapparaat in en nergens een verwijzing naar Vladimir. Toch was de verwantschap onmiskenbaar. Het werk voelde heel vertrouwd, alsof ze het al jaren kende, hoewel ze het nooit eerder had gezien.

Ze dronk van haar koffie en keek uit over het plein, dat lag te glanzen onder de felle voorjaarszon. Tegenstrijdige gevoelens vochten om de voorrang. Ze voelde zowel opgetogenheid, vanwege het gesprek met Jean-Luc, als ook teleurstelling, omdat Vladimir Cazals toch niet op het landgoed van de twee zussen had gewoond. Dat spoor liep nu dood, en ze verbaasde zich over de spijt die ze voelde, alsof ze een poosje vrijmoedig op een rotonde had mogen rondrijden en er nu ineens een paar wegen afgesloten bleken te zijn.

Maar wat had ze dan verwacht? Ze bladerde door de catalogus, en opnieuw werd ze getroffen door de overeenkomsten in de schilderijen. Ze had hoe dan ook het werk van een onbekende schilder ontdekt. Misschien niet zo sterk als de doeken van Vladimir, minder spannend, en ergens ook minder getergd, maar interessant genoeg. Ze zou de komende dagen toch nog een keer bij de andere zuster langsgaan om het werk beter te bekijken.

Ella vouwde de kaart van Uzès voor zich uit. Als de ene bron was opgedroogd, dacht ze, moet je je verplaatsen, en naar een andere op zoek gaan. Ze wilde die middag naar de bron van de Eure wandelen, naar het begin van de kilometerslange waterleiding naar Nîmes. Ze wilde zien waar het water vandaan kwam dat de Romeinen ooit door de smalle, bovenste verdieping van hun brug lieten lopen en waarvan zij, als kinderen, in hun verbeelding de achtergebleven vochtdampen hadden opgesnoven.

v

Rots, steen, rivier

I

Pas na een half uur zoeken vond Ella het smalle pad dat bij de kathedraal St Théodorit naar beneden leidde. Ze kwam voorbij schuurtjes met groentetuinen, een paar oude boerderijen en stak een olijfgaard door, lichtgele bloesem aan de takken. In het dal stak ze het bruggetje over de Alzon over en keek naar het snelstromende water, dat een lichtgroene kleur had en poederachtig was van de kalk. Daarna volgde ze het riviertje stroomopwaarts.

De lucht was tintelend fris, de zon scheen uitbundig; het was onmiskenbaar voorjaar geworden. Ze liep langs de met wilde krokussen begroeide oever en klauterde over boomstronken en rotsen, tot ze op een pad ernaast verder kon lopen.

Het dal werd breder, de bossen maakten plaats voor veldjes waar schapen en paarden graasden. Links van Ella stroomde de Alzon, rechts lag een met bomen en laag struikgewas begroeide helling. Er scheerden een paar libelles over de beek, net terug van hun zwerftocht over de wereld. Razendsnel visten ze een vliegje van het oppervlak en schoten weer weg.

In de berm, verscholen achter de struiken, zag ze een bemost muurtje staan. Ze schoof wat takken en bladerhopen opzij en stapte een drooggevallen geul in van ruim een meter breed, die aan de andere kant ook door een muurtje werd begrensd. Dit moest het eerste stuk van de waterleiding naar het aquaduct zijn. Het waren maar oude muurtjes, waar ooit water doorheen was gevoerd, maar ze ontroerden haar. Ze begon door de geul te lopen, die net zo breed was als de bovenste verdieping van het aquaduct over de Gardon. Er was in de verste verte geen brug te bekennen – die lag zo'n vijftien kilometer naar het zuiden – en de geul was overwoekerd door de natuur, maar toch leek het of de twintig eeuwen die sinds de aanleg ervan verstreken waren, wegvielen toen Ella erdoorheen wandelde. Het zou haar niet eens verbaasd hebben als er een paar Romeinen achter de struiken waren opgedoken.

Hier en daar was een deel van de muurtjes ingestort en kropen er struiken en jonge bomen door de gaten. Andere stukken waren nog zo intact dat ze bijna het water kon horen stromen. Van Romeinse slaven die met loodzware stenen sjouwden tot joelende pubers die elk verbod van hun ouders tartten, wist de stenen geul zowel het verre als het nabije verleden op te laten klinken.

's Nachts waren ze door het hoogste en smalste gedeelte van het aquaduct gelopen; hun kreten weergalmden tegen de muren. Ze maakten elkaar bang door heel hard 'boe!' of 'rare jongens, die Romeinen!' te roepen. Ze roken het schimmelende vocht dat in de muren zat, gleden met hun handen langs de oude stenen en voegden zich op vanzelfsprekende wijze naar de historische plek.

Natuurlijk konden ze het niet laten om hun eigen lef en overmoed ernaast te zetten. Dus plaatsten ze hun voeten op de randen tussen de stenen en wurmden ze zich door de smalle opening omhoog naar de dekstenen en waanden zich net zo onoverwinnelijk als keizer Claudius. Midden in de nacht klommen ze boven op een zestig meter hoge brug, en gingen op de dekstenen overkapping zitten, alsof het een balkonnetje bij de buren was.

De gedachte alleen al maakte haar duizelig. Tot aan Tobias' geboorte had ze nooit last van hoogtevrees gehad en was ze op de rand van elke willekeurige klif of rots gaan zitten, maar daarna waagde ze zich niet meer in de buurt van hoogtes, of liever gezegd van dieptes. Alsof de geboorte van haar zoontje pas die vrees in haar had losgemaakt. En dat was natuurlijk ook zo. Want het waken over zijn welzijn oversteeg in ruime mate haar eigen roekeloosheid. En daarmee was ook de behoedzaamheid geboren en het voortdurend 'voorzichtig!' en 'kijk uit!' roepen.

Ze hoorde geritsel in de bladerhopen voor haar. Een paar tellen later schoot vlak voor haar voeten een grijze toornslang weg. Er leek geen einde aan te komen. Hij was zeker anderhalve meter lang. Kom maar op, dacht ze. Ze ging nu echt niet 'voorzichtig' roepen. Maar de slang kronkelde snel van haar weg en verdween tussen de struiken.

Ze stapte de geul weer uit en liep verder over het pad naast de rivier. Tussen de Alzon en de muurtjes van de waterleiding lag een groot en drassig weiland, met her en der restanten van de oude afwateringsbassins, waarmee de Romeinse bouwmeesters het overtollige water hadden opgevangen. Even verderop vertakte de rivier zich in kleinere beken, vijvers en poelen, met bruggetjes en loopplanken eroverheen.

Ella liep een houten loopplank op en bleef halverwege naar de eenden staan kijken, die donkere strepen door het kroos trokken. Ze zag het trillende licht dat tussen de bomen door op het water viel.

Van alle kanten werd het dal nu omsloten door bergen en kalkrotsen, de bron kon niet ver meer zijn. Aan haar rechterhand stonden de restanten van een toren, alleen de fundamenten waren nog te zien, als een cirkel in het moeras. Ineens meende ze dat er iemand achter haar stond. Ze draaide zich om. Niemand te zien.

Ze liep voorbij een oude watermolen, aanzwellend geraas van water om zich heen. Ze bevond zich in een komvormige waterdelta, omgeven door bomen, beken en ruïnes van torens. Gekwetter van vogels in de bomen, flarden felblauwe lucht erboven. Het was een bijna mythisch landschap, dacht ze, terwijl ze even stil bleef staan en om zich heen keek. Rotsen, water en vervlogen tijden, alsof ze door een schilderij van Hercules Segers struinde en zij die eenzame wandelaar bij de rivier was.

Ella stak nog een stenen bruggetje over, het geraas van water nam toe, en toen stond ze ineens voor de bron van de Eure. Het heldere bronwater, waarvoor Claudius speciaal een aquaduct van ruim zeventig kilometer lang had laten bouwen, borrelde hier voor haar voeten met grote kracht uit de grond omhoog. Niets dat het water, dat al eeuwenlang door onderaardse meren en rivieren omhoog werd gestuwd, kon tegenhouden. Het werd door stenen geulen van de bron weggeleid, maar vermengde zich enkele meters verderop met het lichtgroene water van de Alzon. Wat de Romeinen ooit zorgvuldig van elkaar gescheiden hadden, helder en troebel water, voegde zich tegenwoordig weer klaterend samen en stroomde als één beek door het dal in de richting van de Gardon.

Wat een plek, dacht Ella, terwijl ze op de oever ging zitten en haar schoenen uittrok. *Baignade interdite* stond er op een bordje, maar tegen een beetje pootjebaden zou toch niemand bezwaar maken. Ze wilde het water voelen, dat vanaf hier in hun rivier was gestroomd. Ze doopte haar tenen in het koele water en bedacht zich dat ze al die zomers dus niet alleen in de Gardon, maar ook in het heldere bronwater van de Eure had gezwommen, in hetzelfde water dat de Romeinen ooit met zoveel moeite over haar rivier getild hadden. Die gedachte stemde haar wonderlijk tevreden.

Er zwommen eenden en zwanen aan haar voorbij, het zonlicht danste tussen hun veren. Ze spartelde met haar voeten in het water en maakte met haar tenen kringetjes in het kroos, terwijl de eenden verontwaardigd wegstoven. De zon verwarmde haar schouders en brandde in haar roodblonde haren, ze kreeg het warm, trok haar vest uit en rolde haar mouwen op. Ze haalde een flesje water uit haar tas en zette het aan haar mond.

Die schittering van water, dacht ze, dat onafgebroken stromen, verbredend of versmallend, dezelfde rivier, maar toch telkens anders. Een rivier is eenmalig en veranderlijk, net als het leven, maar haar bestemming blijft dezelfde: uiteindelijk altijd de zee. Dat had ook iets troostrijks, vond ze. Wild of kalm, smal of breed, elke rivier of beek had een bestemming, en daarmee ook een doel en een vanzelfsprekendheid, waarmee ze zich door het landschap baanden.

Ze moest aan het schuurtje van haar vader denken, de geuren van olie en pasgeschaafd hout. Een zomerse dag, dacht ze, een dode vis en kroos, heel veel kroos. Hoe oud was ze geweest? Vijf, zes jaar? Het moest haar oudste herinnering zijn.

Verder teruggaan dan hier is niet mogelijk, dacht ze, terwijl ze haar schrift en pen in haar tas zocht.

Een uurtje later zakte de zon achter de heuvels. Ze trok haar schoenen weer aan en volgde de beken van de Alzon en de Eure die gezusterlijk het dal in stroomden. Toen ze voorbij het weiland kwam, draafden de paarden een eindje met haar mee. Het geroffel van hun hoeven gaf precies haar stemming weer: opgetogen, met een donkere klop van weemoed.

Op de heuvel sloegen de kerkklokken van Uzès vijf uur.

2

Het is warm en het is vochtig. Er zoemen muggen om ons heen. 's Nachts veranderen ze in vliegtuigen die met gespreide vleugels en luid ronkende motoren vlak boven ons bed cirkelen.

We staan in de deuropening en verkennen de grens tussen binnen en buiten. Binnen is het koel, buiten kletst de zon op het stenen terras. We duwen de hordeur open en dicht, open en dicht.

'Vooruit, naar buiten jullie.' Mama jaagt ons de tuin in. We hollen naar het houten schuurtje, plukken een paar bramen van de struik en knijpen in de gele harsdruppels die aan het hout kleven. Wat zullen we gaan doen?

'Vissen!' roept Hans.

We lopen het schuurtje binnen. Het ruikt naar olie, hout en natte aarde. De geuren zijn zo sterk dat we ze bijna kunnen aanraken.

Hans gaat op zoek naar een hengel. Ik kijk om me heen en voel met mijn hand aan mijn gekke, korte haar. Het was heel donker in de keuken. Iedereen lag te slapen, maar ik was stiekem naar beneden geslopen. De schaar vond ik in de bovenste la tussen de messen. Ik ging ermee voor de vuilnisbak staan, zette de punt onder het reepje stof en knipte. Ineens lag het op de vieze berg koffiedrab. Dat zag er raar uit, maar omdat ik op die plek geen pijn meer voelde, knipte ik net zo lang totdat al die harde pakjes stof en haar verdwenen waren. Toen kon ik mijn hoofd weer gewoon op mijn kussen leggen.

'Wat heb je met je haar gedaan?' vroeg mijn moeder toen ik wakker werd.

'Niks, ik heb niks met mijn haar gedaan.' Ik had alleen de repen stof eruit geknipt, die mijn moeder er voor de schoolfoto in had gedaan.

'Niet jokken!' Ze zette me op de stoel voor de spiegel. 'Wat is dit dan?'

Ik wist niet wie dat gekke meisje in de spiegel was. Met haar grote ogen onder die ragebol.

Hans heeft een bamboestok in het schuurtje gevonden, dat wordt onze hengel. Hij maakt een draad eraan vast en rijgt er de loden balletjes en de dobber uit mijn vaders visdoos aan. Ik open kastjes met gereedschap, bloemzaden en kwasten; het is de wereld van mijn vader. Ik vind mijn springtouw met de afgebladderde, rode handvatten; mijn vader heeft beloofd ze opnieuw te schilderen. Ik leg ze op de houten werktafel voor hem klaar. Mijn vader kan alles maken wat stuk is.

We lopen het paadje achter ons huis af, langs de schuttingen en over de scheve tegels met de hoge grassprieten ertussen. Ik wil mijn broer een hand geven, maar dat vindt hij stom, want hij is twee jaar ouder. We komen voorbij de huizen van de rijke mensen, met de hekken ervoor. We steken het parkje in, waar ik nog nooit eerder alleen met mijn broer ben geweest. Aan de overkant van de sloot staan mannen op de stellages waar de nieuwe huizen worden gebouwd. We gaan langs de waterkant op het gras zitten, Hans doet een stukje brood aan het haakje en houdt de hengel boven de sloot.

'Nu moeten we wachten,' zegt mijn broer.

Ik mag niet praten, want dan schrikken de vissen. Ik zit doodstil naast Hans in het gras en kijk ingespannen naar de dobber, waar kleine golfjes tegenaan slaan. Aan de overkant roepen de bouwvakkers iets naar elkaar, maar ik kan niet verstaan wat ze zeggen.

Verder gebeurt er niets.

In het gras staan madeliefjes en boterbloemen. Ik pluk een madeliefje, maak met mijn nagel een spleetje in de stengel, pluk er nog een en steek die erdoorheen. De spleet mag niet te diep zijn, anders scheurt de stengel. Ik heb al bijna een halve krans af, die ik straks op mijn gekke haar kan leggen.

'Beet!' roept mijn broer. De dobber is verdwenen, de bamboestok buigt om. Hans vliegt overeind, trekt aan de hengel en haalt de lijn binnen: er hangt een zilveren visje aan. De vis spartelt in het gras. Het haakje zit vlak achter zijn bolle oog gestoken. Mijn broer pakt hem met zijn blote handen vast en probeert het haakje eruit te wurmen, maar dat lukt niet. Hij wordt steeds ongeduldiger, ik vind het geen leuk spelletje meer. Verderop aan de waterkant zie ik nog meer madeliefjes staan en ik hol ernaartoe.

Op het water ligt een bolletjestapijt dat net zo groen is als het gras. Ik leg mijn bloemenkrans naast me neer en stap naar voren om het beter te bekijken. Het watergras ziet er zacht uit. Ik aarzel, kijk naar mijn broer, die nog altijd voorovergebogen aan de vis zit te prutsen. Ik voel aan mijn haar en steek dan heel zwierig, zoals ik op balletles heb geleerd, mijn ene voet naar voren. Vlak voordat ik mijn witte sandaal op het groene gras neerzet hoor ik aan de overkant iemand roepen. Mijn sandalen zijn te zwaar voor de ronde, groene bolletjes en schieten erdoorheen; ik kom in een donkere wereld terecht.

Mijn handen graaien door de waterplanten en de zachte modder op de bodem; ik verbaas me over de plotselinge verduistering van het licht. Ik draai een paar keer in het rond, voel het koude water door mijn kleren en mijn korte haren stromen, zie soms een ronde lichtvlek boven me, en dan weer duisternis. Ik ben zo licht als een elfje geworden en hoor vreemde, doffe geluiden om me heen, misschien zijn het de zeemeerminnen. Ik kan nog niet zwemmen, maar ik zwem nu toch, kijk: onderwater. Ik glijd door het water als een vis, maar zonder een haak in mijn oog.

Het water zingt: *schuitje varen, theetje drinken*. Ik zing mee, maar er komen zeepbellen uit mijn mond, *zoete melk met brokken*. Er drukt iets zwaars op mijn borst, ik zak naar beneden en kan niet meer zingen, *kindje mag niet jokken*. Ik ben niet bang, alleen wel verbaasd. Dan voel ik twee handen om mijn middel en word ik met één grote zwaai van licht, stemmen en druppels omhooggetild. Proestend kijk ik in het gezicht van een vreemde man.

Hij houdt me op armlengte en zegt: 'Alles goed, kleine?'

Ik moet hoesten, als ik 'ja' probeer te zeggen. Hij draait me om, klopt op mijn rug, en dan vliegt er een golf bruin water uit mijn mond. Ik schrik van al dat water, hap naar adem en begin te trillen, maar dan draait hij me weer om en zie ik zijn lachende gezicht met de brede kaken en de stoppelbaard.

Vanaf de steigers wordt er iets geroepen. De man tilt me omhoog naar de andere mannen. Dan draait hij zich om naar mijn broer, die aan de overkant van de sloot staat. 'Jouw zusje?' vraagt hij.

Hans knikt. De man legt me in zijn linkerarm en ik vlij mijn hoofd tegen zijn schouder. Zo lopen we de oever op, het paadje af en het bruggetje over naar mijn broer, die ons tegemoet komt hollen.

'Wonen jullie daar?' De man wijst in de richting van onze straat. Mijn broer loopt voor ons uit, zijn hengel sleept over de grond. Af en toe kijk ik op naar de man, die me in zijn blote armen houdt, naar zijn natte, zwarte haren waar het watergras nog in zit. Hij is een reus, die uit de hemel is

gesprongen om mij te laten vliegen. Ik voel me heel slaperig worden, de zon prikt in mijn gezicht. Mijn ogen vallen
toe. Ik heb gezwommen, en hij heeft het gezien.

Thuis word ik door mijn moeder meteen onder de douche gezet. Ze wikkelt me in een grote handdoek en boent
me stevig droog. Even later lig ik tussen de lakens te woelen. Er zoemen muggen om mijn hoofd, ik maak me zorgen. Er klopt iets niet. Het is veel te vroeg om te slapen.

Dan komt mijn vader mijn kamer binnenlopen en gaat
op de rand van mijn bed zitten.

'Dus jij dacht dat je al kon zwemmen?'

Een paar maanden later krijg ik van mijn oma een poëzie-
album, met een rood kaft eromheen. Mijn vader zal er ook
een versje in schrijven. Het duurt heel erg lang voordat ik
het album van hem terugkrijg, maar dan vind ik het op
een ochtend naast mijn bed.

Mijn vader heeft links een poëzieplaatje geplakt van een
man die een meisje op zijn schouders draagt, en rechts een
versje geschreven, dat begint met: 'Er liep een mannetje
over de brug, met een klein meisje op zijn rug.' Het meisje heeft roodblonde staartjes, net als ik, en het bruggetje
met de bomen ernaast lijkt precies op het bruggetje bij de
sloot.

Ik heb dat plaatje vele honderden keren bekeken en net
zo vaak het versje gelezen. Tot voor kort kon ik me alleen
de eerste regel nog herinneren, totdat me vanmiddag ook
de laatste regel te binnen schoot: 'Heb je ooit verdriet of
pijn, laat mij dan je drager zijn.'

Ook als hij het verdriet zelf veroorzaakt had.

3

Het was druk in Uzès. Boven de markt steeg een gegons van stemmen op. De mensen verdrongen zich voor de met wintergroenten en lokale producten vol gestapelde kramen. Ella kocht een paar geitenkaasjes en een rond brood uit de houtoven, alles even biologisch verantwoord. De wind stak op en blies de laatste herfstbladeren van de platanen boven op de koopwaar van de bloemenstal voor haar: bruin blad op de knalrode anemonen. 'Vijf euro voor drie' stond er op het kartonnen bordje. Ze kon de verleiding amper weerstaan.

Vanavond had ze met David afgesproken. Ze was een paar uur eerder naar het stadje gekomen om boodschappen te doen en een bezoek aan het museum te brengen. De hele middag had ze over het leven van Teresa van Ávila gelezen en de stad voor zich gezien waar zowel de Spaanse heilige als haar antiquair geboren waren. Ze had een stoel naar het riviertje achter in de tuin gesleept, en uren aan het water gezeten. Ze raakte gefascineerd door de Spaanse mystica, die ondanks armoede en tegenwerking van de kerk maar liefst zeventien kloosters had gesticht, bepaald geen sinecure in die tijd. Meditatie, studie, soberheid en liefde waren de vier richtlijnen, waarmee ze het in de 16e eeuw ver had weten te schoppen.

Ella ging op de rand van de fontein zitten en keek naar de drukte om zich heen. Het meest was ze gefrappeerd door haar beschrijving van de *oracion mental*, een meditatieve staat van zijn, waarbij aandacht en contemplatie de ziel in extase brachten. Die extase had Bernini in zijn beeld van Teresa goed weten te pakken; het stond daarom vaak afgebeeld op boeken die over het sacrale of het erotische in de kunst gingen. Voor Teresa was dat vrijwel hetzelfde geweest. Zelfverlies en nabijheid van God zorgden voor die geëxalteerde uitdrukking van genot en pijn, die behalve vervreemdend ook verleidelijk was.

Ze zou het in deze tijd ook niet slecht doen, dacht Ella, terwijl ze naar een kraam liep waar ze enorme brokken lavendelzeep en flessen lavendelolie verkochten. Behoefte aan aandacht, liefde en verbondenheid alom, alleen ontbrak het de meesten aan theologische motivatie. Dat was nog een kwestietje voor de westerse mens. Ging het ook zonder God? Was 'ecologie' verleidelijk genoeg om nieuwe idealen en woongemeenschappen te doen verrijzen? Misschien, dacht Ella, maar zonder het sacrale van de kunst zou het een saaie boel worden. Voor een extase is nu eenmaal meer nodig dan een zonnepaneel.

Naast de lavendelkraam tapte een jonge boerin verse koeienmelk uit een melkbus in glazen flessen, de warme damp sloeg ervanaf. Ella herkende de geur van vroeger, van logeerpartijtjes bij een achterneef van de familie, waar ze iedere morgen in de keuken een glas versgemolken melk moest drinken. De boer en boerin waren buiten al aan het werk, en daar zat zij nog steeds voor dat grote glas vette melk, die ze alleen met dichtgeknepen neus kon doorslikken.

Haar hele kindertijd was ze bij oma's, tantes, nichten en zelfs verre vee houdende achterneven gaan logeren, dacht Ella, maar haar broer nooit. Waarom dat zo was, wist ze niet. Die boerderij was een van de gekste logeerplekken. Het spannendst vond ze het bijvoeren van de koeien. Hoe ze hun lange, gulzige tongen naar haar uitstaken als zij de bruine plakken erop legde. Hun klamme, stomende neuzen, die ze voorzichtig aanraakte om te weten hoe dat voelde, zo'n zachtroze, met sproeten bedekte huid.

Als ze 's avonds in het krappe met schrootjes betimmerde kamertje op zolder lag, en beneden in de keuken de boerenfamilie hoorde praten, voelde ze zich een soort invalkind, dat in een vreemd huis in het bed van een ander gestopt werd. Ze had niet zozeer last van heimwee, maar voelde zich wel ontheemd, met die donkere, glimmende meubels om haar heen en de geur van mest en melk die in de kamers hing. Toch won haar verwondering het meestal van dat treurige gevoel. Zeker op die boerderij, waar de mensen gebogen over hun borden soep over 'koei'n die op spring'n stond'n' spraken, op een rustige en kalme manier, zonder enige stemverheffing, hun woorden gedrenkt in soberheid.

Achter de kraam van een lokale wijnboer zag Ella het restaurant liggen waar ze die avond met David had afgesproken. Ze wierp een blik naar binnen. Het was een kleine zaak, met fraai gedekte tafeltjes en houtgravures aan de muren. Ze verheugde zich op het weerzien, maar voelde zich ook gespannen.

Op het terrasje tegenover de ronde fontein bestelde ze een glas witte wijn. De tijd verstrijkt, dacht ze, maar gaat niet voorbij. Ze had een jonge boerin melk zien tappen, en de geur alleen al stuwde de logeerpartij van veertig jaar geleden omhoog en maakte die tot het moment waarin ze zich nu bevond. Er gaat helemaal niets voorbij, ook al zou ze dat soms graag willen. Elke keer als er zo'n herinnering in haar gedachten opdook, behoorde die opnieuw tot dit moment, tot dit ogenblik hier in de zon. En dat ene moment bevatte heel haar leven, telkens weer.

Ze pakte haar schrift uit haar tas en bladerde erdoorheen. Ze had altijd geprobeerd met zwijgen en vergeten over alles heen te stappen; ze was een meester in de hink-stap-sprong geweest. Kinderen werden vroeger nu eenmaal geslagen – hink – moeders hadden het veel te druk om aandacht te geven – stap – en mannen konden hun handen niet thuishouden – sprong.

Het overlijden van haar vader had de prijs voor die tactiek aan het licht gebracht. Ze had steeds meer afstand van alles en iedereen genomen. Het was een wegspringen geworden, zowel van anderen als van zichzelf. Ergens tussen de ene en de andere sprong was ze uit de kring gevlogen. Ze was de afgelopen maanden net zo ontheemd geraakt als vroeger op die boerderij, maar dan zonder die kinderlijke levenslust en verwondering.

Ze dronk van haar wijn en luisterde naar de gesprekken om haar heen in de zangerige, scherp geprononceerde tongval van de midi. *'Ca va bjieng?'* Wat hield ze toch van dat accent. Ze sloot even haar ogen en keerde haar gezicht naar de zon. Toch voelde ze zich nu, hier op dit zonovergoten terras, minder verlaten dan voorheen.

Het was misschien het heldere licht of het gegons van stemmen om haar heen, maar het waren ook de herinneringen in haar schrift die voor meer verbondenheid hadden gezorgd. Sinds ze op reis was gegaan was ze in een draaikolk van de tijd terechtgekomen, waaruit voortdurend fragmenten van vroeger opsprongen, als de spattende druppels van die fontein voor haar. Ze had die druppels in taal proberen te vangen, meer had ze niet gedaan. Taal is ook een familie, dacht ze.

'Ella?'

Ze keek omhoog in het lachende gezicht van Francesca. 'Sinds wanneer ben je hier al? Waarom heb je ons niet gebeld?'

Ze omhelsden elkaar en Francesca plofte met een volle boodschappenmand naast haar. 'Wat geweldig om je te zien. Hoe gaat het? Heb je je achternichten al opgespoord?'

'Nou eh... niet echt,' zei Ella, onder de indruk van al die hartelijkheid. Ze vertelde over haar koele ontvangst op het landgoed. Ze had duidelijk bij de verkeerde toren aangebeld.

'Gewoon volhouden,' zei Francesca strijdlustig. 'Probeer die andere toren. Wat heb je te verliezen?'

'Misschien ben ik bang voor schaakmat,' antwoordde Ella lachend.

'Kom vanavond bij ons eten, dan stippelen we een strategie uit.'

Ella schudde haar hoofd. 'Ik heb al met David d'Espinaz afgesproken.'

'Met die Spaanse antiquair? Wat leuk!' Ze keek haar glunderend aan. 'Kom na afloop een cognacje bij ons drinken, of kom anders overmorgen bij ons eten. Wij blijven hier nog tot zondag.'

Ze gaf Ella het adres, en een uitgebreide routebeschrijving, iets met een snoepjesfabriek en een weg over de brug naar links. Ze was het alweer vergeten toen ze voor haar wijn betaalde en naar het museum liep, dat twee werken van Roger Cazals in de collectie had.

4

David d'Espinaz reikte haar over de tafel een pakje aan. 'De illustraties zijn van Philip Grot Johann, de uitgave is van 1831. U leest toch Duits, hoop ik?'

Ze hadden met gemak de draad van hun gesprek weer opgepakt, alsof er inmiddels geen tien dagen verstreken waren. Verschillende opties voor de miniaturen hadden ze overwogen, waaronder het getijdenboek van Van Alphen, dat ook aan de Meester van Kleef werd toegeschreven.

'Het is maar een aardigheidje,' zei David, 'maar ik dacht dat het u wellicht zou interesseren. Ik vond het bij een bevriende antiquair in Orange, een gelegenheidsuitgave voor de vrouw van Wilhelm IX. Marie Hassenpflug, die veel sprookjes aan de gebroeders Grimm doorvertelde, was een van haar hofdames.'

Ella maakte het pakje open. Het was een prachtig geïllustreerd boekje met een drietal sprookjes van Grimm. Ze bedankte hem en zei dat ze niet wist dat de sprookjes aan de Grimms verteld waren.

'Ja, de meeste zelfs. Dorothea Viehmann heeft er een stuk of veertig verzameld, waaronder de beroemdste, zoals *Vrouw Holle* en *Het meisje zonder handen*, die ook in deze uitgave zitten.'

Hij bestelde koffie met cognac. Ella bekeek de illustratie van de molenaarsdochter.

'Ik herinner me niet meer hoe dit sprookje afloopt,' zei

ze. 'De dochter vlucht weg van haar ouders, omdat ze haar handen hebben afgehakt, en ontmoet dan een koning, die met haar trouwt en zilveren protheses voor haar maakt.'

'Ik heb het nog eens nagelezen,' zei David, 'het is een heel oude sage. De dochter moet opnieuw vluchten, omdat de duivel haar op de hielen zit. Ze zwerft rond, verkleed als pelgrim, trekt de heuvels in, steekt rivieren over, en daalt dan af in een groot en ondoordringbaar woud.'

Hij streek met zijn hand door zijn grijze baardje.

'Een toespeling op *la selva subterránea*, vermoed ik. Het onderaardse bos uit de oudheid, waar de dode zielen als nevels tussen de bomen hangen. Er komt maar geen einde aan dat woud, het is weidser dan al haar herinneringen en dromen tezamen. Ze heeft de hoop al bijna opgegeven als ze bij het vallen van de nacht bij een boshut komt, die de naam draagt: *Hier wohnt man frei.*'

Hij glimlachte. 'Ik vind dat zo'n mooi detail,' zei hij, 'die naam, bedoel ik. *Hier wohnt man frei.* Is dat niet geweldig? Hier hoef je niets te doen om er te mogen zijn. Hier ben je vrij en wordt je vrij gehouden, begrijpt u?'

Ella glimlachte om die manier waarop hij die Duitse woorden uitsprak en knikte. Ja, ze begreep heel goed wat hij bedoelde.

'Goed, en in die boshut kan ze dan eindelijk tot zichzelf komen, zonder schuld of schaamte, zonder iets te moeten doen of te presteren. Er is een oude dame die voor haar zorgt. Ze blijft er zeven jaar en begint te weven aan haar verhaal, scheren en inleggen, kettingdraden en inslagdraden, en dat dan allemaal netjes samenvoegen tot een geheel.'

Hij nam een slokje van zijn cognac. 'Kruissteken dus,' zei hij, 'want het hele leven is balanceren met het kruis.'

'Thomas a Kempis?'

'Zeker, maar ook Simone Weil, in *Zwaartekracht en ge-*

nade. Een favoriete auteur in Spanje.'

'Ik was in Parijs bij een lezing waarin ze werd vergeleken met Teresa d'Ávila,' zei Ella. 'Vooral vanwege dat ene zinnetje: "Het onpersoonlijke is het heilige."'

David keek haar verrast aan. 'Inderdaad, de schutsvrouw van onze stad. Er is binnenkort een congres in Avila, naar aanleiding van haar vijfhonderdste geboortejaar, mocht u dat interesseren. U bent uiteraard van harte welkom in ons hotel.'

'Misschien,' zei ze aarzelend. 'Ik heb foto's van Ávila gezien. Het lijkt zelf een sprookjesstad. Maar hoe loopt het nu met de molenaarsdochter af?'

'Achter het weefgetouw groeien haar handen weer aan. Al die jaren blijft de koning naar haar zoeken totdat ook hij in die boshut belandt en er vermoeid in slaap valt. Als hij de volgende ochtend de molenaarsdochter ziet, gelooft hij eerst niet dat ze zijn vrouw is. Dan vertelt ze dat haar handen dankzij het weven en de goede zorgen van de oude dame weer zijn aangegroeid en laat ze hem de zilveren protheses zien. Eind goed, al goed.'

Hij kon prachtig vertellen, maar Ella snakte inmiddels naar een sigaret. Ze bestelden nog een cognac en namen die mee naar buiten.

Op het terras voor het restaurant hield David zowel de vuurkorf als het gesprek gaande.

'Ik hoop dat ik je niet verveeld heb met mijn sprookje?'

Ella schudde haar hoofd. 'Nee,' zei ze peinzend, 'het is een mooi verhaal. Je zou willen dat het waar was.'

Voorovergebogen naar de korf stookte David met een ijzeren staaf het vuur op. 'Vind je het niet te koud worden buiten?' vroeg hij. Ze waren elkaar ongemerkt gaan tutoyeren.

'Nee, nog niet,' zei ze. Ze staarde voor zich uit over het

236

donkere plein met de platanen, hun zware takken naar boven geheven. Kettingdraden, dacht ze. Ze dacht aan haar vader, en de paar verhalen die hij haar over de oorlog had verteld. Of eigenlijk was het maar één verhaal. Ze zag zijn gezicht weer voor zich, zijn vertrokken mond.

'Het is de oorlog, denk ik.'

'De oorlog?'

'Ja,' zei Ella. 'Ik denk dat het de oorlog is. Waarom hakt die molenaar de handen van zijn dochter af? Waarom staat die moeder erbij en doet ze niets om dit te voorkomen? Het is de oorlog, die nooit ophoudt.'

'In dit sprookje, bedoel je?'

'In het leven, de oorlog gaat nog generaties door.'

David keek haar onderzoekend aan, maar dat had ze niet in de gaten.

'Mijn vader was tien jaar oud toen de oorlog ten einde liep,' vertelde ze. 'Zijn zus was tijdens de oorlog ernstig ziek geworden, zijn broer zat in Indonesië, zijn moeder werd gek van verdriet en zijn vader sloeg vooral de zorgen van zich af. Geweld brengt geweld voort, bedoel ik. Oorlog schept oorlog.'

Achter hen werden de lichten in het restaurant gedoofd. Alleen de vuurkorf wierp nog een flakkerend schijnsel op de gebogen gestalte van David.

'Tijdens de laatste oorlogswinter overleed zijn zus, in het kamertje vlak naast het zijne, waar hij haar maandenlang had horen schreeuwen van de pijn. Er waren geen medicijnen meer, er was geen valium, geen morfine, ze kreeg als enige remedie protestantse spreuken toegediend: "de heer is mijn herder". Mijn vader somde die spreuken met bijtende spot in zijn stem op: "Wie de juiste weg volgt, toont ontzag voor de heer." Ze hingen boven haar bed, ook toen haar lichaam al was weggebracht. De nacht na de begrafenis sluipt mijn vader zijn kamertje uit om te kijken of zijn moeder nog in haar bed ligt.'

Ella zuchtte en nam een slokje van de cognac. 'Het was al een keer eerder voorgekomen dat zijn moeder verdwenen was, in het holst van de nacht, omdat ze het gekerm van haar dochter niet meer kon aanhoren. Mijn vader moest ervoor zorgen dat dit niet opnieuw gebeurde.'

Aan de overkant zaten een paar jongens op het terras van Les Terroirs. Af en toe schalde hun lach over het plein. Ze keken een poosje zwijgend in het vuur. Ella trok de wollen deken die ze van de ober hadden gekregen wat hoger op.

'Dus mijn vader sluipt zijn bed uit, doet heel zachtjes de deur van de slaapkamer van zijn ouders open en ziet dat zijn moeder niet in haar bed ligt. Hij maakt zijn vader niet wakker, maar schiet in plaats daarvan snel zijn kleren aan en loopt naar beneden. Hij zoekt in de woonkamer en in de keuken, waar zijn vader de vorige dag nog woedend een leeg aardappelkratje aan flinters heeft getrapt, en als hij haar niet vindt, trekt hij zijn jas aan en zet zijn pet op. Dan stapt hij naar buiten, een jongen van tien jaar oud, de gure winternacht in; hij is moe en heeft vreselijke honger, het is de laatste winter van de oorlog, er is nauwelijks meer iets te eten.

Met zijn hoofd gebogen tegen de wind en zijn handen diep in zijn zakken loopt hij door de straat en blijft voor het huis van zijn vriend Klaas een moment stilstaan. Hij aarzelt of hij een steentje tegen zijn raam zal gooien, maar loopt dan toch door, hij moet het alleen doen. Hij steekt de laan van de Kastanjevijver in, struikelt over het lage hekje, en loopt de treden af naar beneden.'

Ella hoorde de stem van haar vader. Sinds zijn ziekbed was hij niet meer zo dichtbij geweest. Ze stak een nieuwe sigaret aan.

'Er is geen maan, geen enkele verlichting,' vervolgde ze,

'hij tuurt over het water en ziet eerst alleen maar die grote, zwarte, rechthoekige plas voor zich. Hij springt van de ene voet op de andere om zich warm te houden en ziet dan een grijs vlekje bewegen, een meter of twintig bij hem vandaan; het is zijn moeder die tot aan haar nek in het water staat. Hij roept haar, maar ze hoort hem niet en dan loopt hij het ijskoude water in en baant zich een weg naar haar toe. "Ma," roept hij, "ma, kom terug." Ze kijkt om en hij schrikt van de verkrampte uitdrukking op haar gezicht, de woeste blik in haar ogen.

"Ga weg!" schreeuwt ze. Hij wil dat ze ophoudt met schreeuwen, hij wil dat niemand hen ziet of hoort, hij schaamt zich dood en dus grijpt hij haar arm vast en begint aan haar te trekken. Ze verzet zich en rukt zich los, maar hij trekt nog harder aan haar arm en roept dat ze met hem mee moet gaan. Dan geeft ze mee en loopt huilend en wartaal uitkramend achter hem aan. "Vrees voor uw tekenen vervult de bewoners der verten," roept ze en blijft weer stilstaan, haar armen naar boven gestrekt. Hij trekt haar mee, de laatste meters naar de waterkant. "Gods geest over Gods wateren," roept ze, "Bep, mijn meisje, mijn lieve kind."

Hij duwt met al zijn kracht zijn moeder de stenen rand op, ze is zwaar, heel zwaar, het water stroomt uit haar kleren, maar het lukt hem en dan springt hij achter haar aan, neemt zijn moeder aan de hand en trekt haar mee naar huis.

Thuis krijgt hij van zijn vader een pak slaag, omdat hij zijn laatste, goede kleren verpest heeft. Ze worden allebei ziek, zijn moeder en hijzelf ook, maar ze overleven het.'

Ella gooide haar sigaret in de korf en veegde met een bruusk gebaar de tranen uit haar gezicht.

'Vanaf die nacht is het leven voor mijn vader een kwestie van overleven,' zei ze, 'en zijn gevoelens dingen die je

239

heel ver weg moet stoppen, totdat ze soms allemaal tegelijk naar boven komen. Als dat gebeurde ging hij slaan, net als zijn eigen vader. Dat is één manier waarop de oorlog doorgegeven wordt,' besloot ze, 'maar er zijn ook andere.'

David legde zijn hand op haar arm. 'Het spijt me,' zei hij.

Ella knikte. 'Ja, en toch heb ik van hem gehouden,' zei ze. 'God, wat heb ik van die man gehouden.'

De jongens aan de overkant werden door de café-eigenaar weggestuurd; joelend liepen ze achter elkaar de steeg naast de boekhandel in. Op het plein stonden nu alleen nog de platanen, als stille wachters van de nacht. Bomen waren letters, meenden de Grieken, ze vormden samen het alfabet. De plataan voor haar was een ypsilon.

'De oorlog houdt nooit op, bedoel ik,' zei Ella, 'maar wordt voortgezet. Hij wordt doorgegeven, van ouders aan kinderen.'

'Ik weet het,' zei David.

Ze keken een poosje zwijgend voor zich uit. David porde het laatste brandende houtblok in de vuurkorf op. Hij moest het vreselijk koud hebben, maar Ella was nu niet meer te stoppen.

'En dan zijn we er nog niet,' zei ze, 'want in dezelfde winter dat mijn vader zijn moeder uit de vijver vist, moet mijn moeder honderd kilometer verderop toekijken hoe zes mannen uit hun straat door de Duitsers worden geexecuteerd. Iedereen wordt bijeengedreven en voor het rijtje mannen neergezet. De Duitse soldaten beginnen te schreeuwen, sommige omstanders huilen, de zes mannen voor haar hebben holle ogen van de angst. Mijn moeder is acht jaar, ze denkt aan haar vader, die vanwege het drukken van een verzetskrant in de gevangenis van Almelo zit.'

Ella dronk de rest van de cognac in één teug op.

'Ze is doodsbang dat hem hetzelfde lot wacht als de zes

mannen die met een wezenloze blik in hun ogen tegen de muur van het postkantoor staan. Op het moment dat ze de lichamen van de mannen een voor een voorover ziet vallen, wapent ze zich. Ze zorgt ervoor dat iets haar beschermt, iets hards en noodzakelijks.'

Ella zuchtte diep, als om dat inzicht weg te blazen. 'En als het geen oorlog is,' zei ze, 'dan zijn er wel andere krenkingen. Dus als de molenaar de handen van zijn dochter afhakt en zijn vrouw gewoon toekijkt, dan doen ze dit uit angst. Na een oorlog woont men niet vrij.'

'Misschien niet,' zei David.

Ella keek naar de ronde, kalkkleurige fontein in het midden van het plein, de smeedijzeren reigers en dolfijnen erboven.

Het hout was op, er lagen alleen nog wat kooltjes in de vuurkorf, het was tijd om te gaan.

'Maar je zou erop kunnen hopen,' klonk het aarzelend naast haar.

'Waarom?'

'Waarom niet?' zei David. 'Schiet je met verklaringen veel op?'

'Verklaringen kunnen troost bieden.'

'Je hoeft je ouders niet in bescherming te nemen,' zei hij.

5

De volgende ochtend werd Ella wakker uit een wonderlijke droom. Het was voor de verandering geen nachtmerrie geweest. Integendeel zelfs. Zo kan het dus ook, dacht ze, terwijl ze het luik opengooide.

Ze waren ergens naartoe op weg, Marc en zij. Ze moesten een rivier oversteken, wat niet lukte, omdat de rivier maar om hen heen bleef kronkelen en ze elke keer opnieuw bij water uitkwamen. Ze leunden tegen een muurtje en begonnen te zoenen, terwijl het water tegen de rotsen omhoogspatte. Ze legde haar armen in zijn nek, er fonkelden zilveren armbanden aan. Ze voelde zijn mond, de huid van zijn wangen en de scherpte van zijn jukbeenderen, precies zoals ze die ruim dertig jaar geleden ook had gevoeld. Het was geen film die zich voor haar afspeelde, het waren niet slechts beelden, de sensaties waren levensecht; ze proefde zijn tong, ze hoorde het geraas van water en ze rook de lichte kaneelgeur van zijn haar.

Ze waren niet ouder geworden, of in ieder geval was Marc dat niet. Ze was in een moment van lang geleden beland, met alle zintuiglijke en emotionele indrukken van toen, en haar bewustzijn van nu. Want gedurende die omhelzing had ze zich al over de echtheid van haar gevoelens verbaasd. Ze was daar en hier, toen en nu, een reiziger die niet zozeer terugkeerde in de tijd, als wel op verschillende momenten tegelijkertijd aanwezig was.

Ze kleedde zich aan voor het open raam en keek naar het fluorescerende groen van de velden. Morgen was de opening van de fototentoonstelling in Collias, maar ze wist nog altijd niet of ze ernaartoe zou gaan. Ze wilde het dorp terugzien en ook het plein waar de feesten gehouden werden, de gorges van de Gardon waar ze die allerlaatste nacht naartoe waren gelopen, het bamboebosje, maar ze aarzelde of ze Marc wilde terugzien.

Beneden gooide ze een voor een alle luiken open, fel zonlicht stroomde het vertrek binnen. Haar droom had meerdere herinneringen aan de ontmoetingen met Marc samengenomen en die onder een vergrootglas in de zon gelegd. Zo was de kern van al die ervaringen in de sensatie van de droom gebrand, en had alles zo onwaarschijnlijk echt gevoeld. Ze dacht aan haar wandeling bij de bron van de Eure, aan de zwanen op de Alzon, de oude toren, het ruisende water van de watervallen; ze had het landschap niet herkend, maar de plek had wel vertrouwd aangevoeld, als een terzijde van haar bewustzijn, een rivier die een scherpe bocht neemt, waardoor je hem net uit het oog verliest.

Ze zette koffie en liep ermee naar buiten. Het was nog warmer dan de afgelopen dagen. Ze legde haar schrift voor zich neer op het kleine tafeltje. Voor ze ging slapen had ze het sprookje over de molenaarsdochter gelezen. David was vergeten te zeggen dat de jonge vrouw een kind bij zich had, een smartenkind. De duivel had tegen de moeder van de koning beweerd dat het een wisselkind was en gedood moest worden. De gruwelijkheid van die sprookjes, dacht ze, afgehakte handen, enge duivels, dreigende moordpartijen, niets was vroeger eng genoeg voor de gevoelige kinderziel. Maar het meest was ze geschrokken om de dochter zelf, die een cirkel om zich heen had getrokken, om te voorkomen dat haar handen werden afgehakt. Ze moest het twee keer lezen voordat ze geloofde wat ze las.

Ze bladerde door haar schrift, met aan de voorkant het verslag van de reis, en aan de achterkant de wereld van de herinnering. Twee teksten, twee klanksoorten, alsof ze deze hele reis een duet met zichzelf aan het zingen was. En dat was natuurlijk ook zo. Ze had een lint over de tijd gespannen en haar blik wisselend op de ene en andere overzijde gericht. Het schrijven bood houvast, als een evenwichtsstok die ze balancerend boven de diepte in haar handen vasthield. Maar ook rust, omdat ze er het jarenlange zwijgen mee doorbroken had.

Een herinnering vertellen betekent echter ook haar verliezen, dacht ze. Net zoals een foto de gebeurtenis zelf verdringt, kwam haar verhaal nu op de plek van de herinnering te staan, en dat verhaal kende zijn eigen wetten en verbeeldingskracht.

Het liep al tegen de middag, de zon stond pal boven de tuin. Ze herlas hier en daar een passage en herinnerde zich ineens dat ze in de hotelkamer in Autun de lichtvlekken op het water voor het eerst had gezien, en zelfs die knellende greep om haar middel had gevoeld. Het was in een half wakende half dromende toestand geweest, net na haar bezoek aan de Eva van Gislebertus. Lang had deze herinnering onder het oppervlak van haar bewustzijn liggen sluimeren. Ze had eerst de bron van de Eure en al dat kroos moeten zien. Toen pas kwam de herinnering aan het parkje bovendrijven, en ook die oplettende blik van die vreemde man. Haar moeder die haar in die grote handdoek droogwreef, de ruwe, ongeduldige gebaren. Ze moest nog veel verder terug in de tijd, om bij de zachtere herinneringen aan haar moeder uit te komen.

Wie weet wat er de komende dagen nog zou opwellen,

dacht Ella. Want ze wist dat ze nog veel was vergeten, maar juist omdat ze dat wist, herinnerde ze het zich ook al op een bepaalde manier.

Ze zocht nog altijd naar wat er allemaal ontbrak en verloren was geraakt. Het ware geheugen bestond uit veel vergeten. Een stem, een blik, was het haar vader, haar oma? Ze kon het nog niet benoemen, maar als ze het echt vergeten zou zijn, zou ze er ook niet meer naar zoeken. En als ze het gevonden had, kon het vergeten naar iets anders worden omgebogen: nabijheid, oprechtheid, vergeving, wat al niet.

Het was genoeg voor vandaag. Ze moest dit schrijven ook een beetje leren doseren. Een wandeling maken. Kom op. De benen strekken.

6

Op de terugweg van haar wandeling door de heuvels kwam Ella voorbij het landgoed en liep ze zonder dralen het paadje op dat naar de andere toren van het kasteel leidde. Er bloeiden narcissen langs het pad, de witte kiezels knerpten onder haar schoenen. Voor haar schoot een merel tjilpend weg over het pad. Ze hoorde een deur opengaan en zag een oude dame staan, met een witte wollen shawl om haar schouders geslagen.

Na een korte, wat afstandelijke kennismaking ging Hélène Cazals haar voor op de stenen wenteltrap, voetje voor voetje, het duurde lang voordat ze de halfronde torenkamer binnenstapten. Schilderijen aan de muren, abstracte werken maar ook veel portretten en stillevens. Op de vloer lagen Turkse tapijten, in de hoek stond een sculptuur die aan Calder deed denken.

Ze ging op een bankje voor de salontafel zitten, waarop boeken en paperassen lagen, en wachtte op mevrouw Cazals, die naar het keukentje verdwenen was om koffie te zetten. Haar blik dwaalde door de kamer. Op een grote secretaire stonden fotolijstjes, stenen beeldjes en vaasjes met verse narcissen erin. Boeken op de bijzettafels, kleine vensters in de ronde muren. Het was een mooie kamer, ze voelde zich er op haar gemak. De ruimte omvatte de ziel van de bewoonster als een schelp; er klonk een diepmenselijke ondertoon in door.

Na een minuut of tien kwam Hélène terug de kamer in met twee kleine kopjes op een houten dienblaadje. Ze zette het blad op de tafel neer en ging tegenover Ella in een lage fauteuil zitten. Ze luisterde aandachtig naar Ella, het kopje koffie in haar trillende handen. Af en toe knikte ze met haar kleine, ronde hoofd, de zilvergrijze haren in een knotje, haar wangen rood van de couperose, de ogen helder en pienter achter het gouden brilmontuur.

'Dus als ik u goed begrijp bent u vooral in het werk van Vladimir geïnteresseerd?'

'Ja, al sinds mijn studie,' antwoordde Ella. 'Isa heeft dat misschien niet goed begrepen.'

'Ik begrijp heel goed dat Vladimirs werk belangrijker is. Ik was zelfs verbaasd dat een Nederlandse kunsthistorica speciaal voor Roger hiernaartoe zou komen.'

'Zijn ze familie van elkaar?' vroeg Ella. 'Ik vind dat hun werk erg op elkaar lijkt.'

'Jazeker, het zijn volle neven. Hun tak van de familie is lang geleden naar Rusland vertrokken en de banden met ons gezin zijn pas weer aangetrokken toen ze eind negentiende eeuw terugkeerden naar Parijs. Mijn opa, Frédéric Cazals, woonde op ons landgoed bij Parijs, dat helaas niet meer bestaat, en toen zijn er twee broers van die Russische tak bij ons komen wonen. Vladimir en Roger zijn de zonen van die twee broers, ze hebben in Parijs bij dezelfde schildersopleiding les gehad. Vandaar die verwantschap, die u niet is ontgaan.'

Ze liep naar het dressoir. 'Kijk,' zei ze, 'een oud familieportret, gemaakt tijdens de laatste weken op Mignaux. Vladimir en Roger staan helemaal links vooraan.' Ze reikte haar de foto aan.

Ella zag een groepje mensen op het terras voor een kasteel, de vrouwen in lange jurken, de twee jongemannen op de voorgrond in slobberbroek en losgeknoopte hemden, beiden met een tennisracket in de hand. De ene man was licht gedrongen en had kort, vlassig blond haar, de andere was lang en slank, met donkere krullen. Zijn gezicht was lichtgetint, bijna Aziatisch, de ogen smal, het voorhoofd hoog. Hij keek een beetje uit de hoogte, een flauwe grijns om zijn mond.

'En die langere man is Vladimir?'

Hélène Cazals knikte. 'Ja, dat klopt. Ze waren heel verschillend. Roger was heel rustig en ingetogen, maar Vladimir was opvliegend van aard, heel gepassioneerd.'

Vladimir Cazals leek sprekend op haar vader. Ze had altijd gedacht dat haar vader Indisch bloed had, vanwege zijn zwarte haar en lichtgetinte huid.

'Hij heeft iets oosters,' zei Ella verward.

'De opa van Vladimir was met een Perzische vrouw getrouwd.'

Hélène Cazals keek haar peinzend aan.

'Wilt u nog een kopje koffie?'

'Nee, nee, dank u,' zei Ella.

'Een glaasje water? U ziet nogal bleek.'

Ella wist niet hoe ze het gesprek op haar overgrootmoeder moest brengen. Dus haalde ze haar portefeuille uit haar tas. Er zaten een paar foto's in, waaronder een met Tobias als baby op de schoot van zijn overgrootmoeder, haar vader zat ernaast.

'Dit is mijn zoon Tobias,' zei ze, 'en naast mij zit mijn vader.'

Hélène pakte de foto van haar aan en bekeek hem aandachtig. 'Wat een lief ventje. En die twee andere zijn...?'

'Mijn vader en zijn moeder, mijn oma dus.'

Ella dacht aan Francesca. Ze vergeeft het me nooit als ik nu niet verder vraag, dacht ze. 'Het is misschien een rare vraag,' zei ze, 'maar vindt u ook niet dat mijn vader op Vladimir lijkt?'

De oude dame keek haar verwonderd aan en bestudeerde opnieuw de foto.

Ella schraapte haar keel en ging nog iets meer naar voren op de bank zitten. 'Ja, ziet u,' zei ze aarzelend, 'ik heb onlangs begrepen dat zijn oma het kind was van een Fransman. Haar moeder was eind van de negentiende eeuw kindermeisje op een landgoed bij Mignaux, en is daar zwanger geworden van de...'

'Van een Cazals?' vroeg Hélène.

Ella knikte.

'Niet waar! Nog een nakomeling?'

Nadat Hélène van de eerste schrik bekomen was, die volgens haar het beste met een glaasje zelfgemaakte *eau de prunes* kon worden afgeblust, vertelde ze dat haar overgrootvader al jong weduwnaar was geworden, nooit was hertrouwd, maar zich blijkbaar niet met zijn celibataire staat had kunnen verzoenen en onder meer een dienstbode zwanger had gemaakt. Zijn oudste dochter Caroline had zich over haar ontfermd en zelfs een vleugel van het kasteel voor ongetrouwde moeders ingericht, omdat er nog meer onwettige nazaten van haar vader, maar ook van zijn twee Russische neven, rondliepen. Van een Nederlands kindermeisje had ze echter nooit gehoord, het speet haar.

Ze keek Ella peinzend aan. Toen legde ze haar beide handen in haar schoot en vertelde dat er veertig jaar geleden ook een vrouw aan de deur was geweest, uit Duitsland, met min of meer hetzelfde verhaal als Ella. Ze had haar binnengelaten, ze hadden gepraat en koffiegedronken. De Duitse vrouw had zelfs een brief van Caroline bij zich gehad. Ze had haar willen helpen met haar schulden en enkele schilderijen van Roger willen schenken, maar haar zus was woedend geworden. Sinds die tijd spraken ze niet meer met elkaar.

De couperose op haar wangen was dankzij de eau de prunes nog roder geworden. Toen vroeg ze aan Ella: 'Hoe was de relatie tot uw vader? Was u zijn oogappel?'

'Nou, dat zou ik niet willen beweren,' zei Ella. 'Maar er was wel een verstandhouding. We hielden beiden van lezen, we maakten grapjes, ach, hij was lange tijd mijn held, zoals dat waarschijnlijk voor alle dochters is. Maar hij was ook een getergde man, heel opvliegend van aard, ik ben jarenlang heel bang voor hem geweest.'

Ze zaten een poosje zwijgend tegenover elkaar. De zon viel in scherpe banen door de kleine vensters van de toren naar binnen.

'De gelijkenis is opmerkelijk,' zei Hélène, 'maar u heeft geen brief of een ander document?'

'Nee,' zei Ella met een diepe zucht.

'Maar als ik u goed begrijp, interesseerde u zich al voor het werk van Vladimir, voordat u van deze geschiedenis hoorde?'

Ella knikte.

'Dat is toch opmerkelijk.'

'Ik had liever dat mijn ouders het me eerder hadden verteld'.

'Ja, dat begrijp ik,' zei de oude dame instemmend. 'Maar dan zou uw fascinatie voor Vladimirs werk toch anders zijn geweest. Minder vrij, bedoel ik, minder spontaan. En juist dat laatste is zo belangrijk in de waardering van kunst.'

Zo had Ella er nog niet over nagedacht. Ze nam een slokje van de eau de prunes en voelde het drankje in haar keel branden.

'Waarom iemand iets verborgen houdt is moeilijk te achterhalen,' zei Hélène. 'Er kunnen zoveel motieven voor geheimhouding zijn. Misschien was het onverschilligheid, maar misschien was het ook uit angst of onzekerheid. Sommige mensen interesseren zich niet voor het verleden, andere zijn er juist bang voor.'

'Ik ben bang dat het vooral onverschilligheid was,' zei Ella.

Hélène knikte. 'Niet iedereen houdt van omzien,' zei ze.

'Ik denk wel eens dat er twee soorten mensen zijn,' zei Ella. 'De meer melancholieke mens die zich over het verleden en zijn herinneringen buigt, maar ook met aandacht naar het heden kijkt, en de meer pragmatische mens die zich vooral op de toekomst stort.'

'Dat zou goed kunnen,' zei Hélène, 'maar elk kind heeft het recht om te weten waar het vandaan komt. Het is belangrijk om je verbonden te voelen met je familie.'

'Ik heb nooit zoveel waarde aan familie gehecht,' zei Ella. 'Ik had juist de indruk dat mijn familie me nog meer vervreemdde van mezelf.'

'Toch is het goed om een zekere bedding te hebben,' zei Hélène. 'Maar kunt u mij ook vertellen wat u trof in het werk van Vladimir? Hij heeft zo weinig erkenning gekregen.'

'Vooral de intensiteit waarmee hij de abstracte en figuratieve kunst met elkaar probeerde te verzoenen,' zei Ella. 'Hij liet die spanning uitgroeien tot iets wat hen beiden oversteeg, zonder een van de twee te verloochenen.'

'Ja, dat is waar, dat heeft u goed gezien,' zei Hélène. 'Hij probeerde met zijn penseel tussen abstract en figuratief in te gaan zitten, tussen dynamiek en tederheid, Russische en Franse wortels, uitbundige expressie en meditatieve inkeer. Hij wilde al die tegenstellingen in beweging krijgen, om het onverwacht nieuwe te kunnen schilderen...'

'En slaagde daarin wonderwel,' verzuchtte Ella.

'Kind, wat fijn om te horen.' zei Hélène met een glimlach. 'U weet niet half hoe goed me dit doet. Ik ben wel eens bang dat mensen er niet langer de aandacht voor kunnen opbrengen.' Ze wierp haar zo'n warme blik toe dat Ella het vuur naar de wangen schoot.

'Een schilderij van Vladimir bekijken,' zei Hélène peinzend, 'echt goed bekijken, bedoel ik, betekent teruggevoerd worden naar de kern, naar het middelpunt van ons bestaan.'

'Ja,' knikte Ella instemmend. 'Dat was precies wat ik voelde toen ik zijn werk twintig jaar geleden voor het eerst in Parijs zag. Het voelde als thuiskomen, omdat hij juist die innerlijke kern, zoals u zegt, in zijn werk opzocht. Hoe dieper hij in zichzelf groef, hoe meer verbinding hij met anderen kon maken.'

'Nog een glaasje?' vroeg Hélène. Ze pakte de glazen karaf van tafel. 'Dit doet me zoveel deugd,' zei ze glunderend, 'ik heb in geen tijden zo'n heerlijke middag gehad. U komt toch wel terug? Dan kan ik u alles rustig laten zien, er is zoveel, veel te veel voor mij alleen.'

'Dat zal ik doen,' beloofde Ella.

'Wat is het leven toch wonderlijk.'

Zeg dat wel. En het leven was niet alleen wonderlijk, dacht Ella, terwijl ze haar glaasje opdronk, maar bij tijd en wijle ook gul en ruimhartig.

'Ik zal u niet langer ophouden,' zei ze. 'Ik vind het heel bijzonder u ontmoet te hebben.'

'Ik ook, kind,' zei Hélène terwijl ze moeizaam overeind kwam. 'Maar wacht nog even. Ik wil u nog iets laten zien.' Ze liep naar de stapels schilderijen die tegen de muur geleund stonden en viste er een kleine aquarel uit.

'Kijk, dit heeft Vladimir nog geschilderd toen hij een jongeman was,' zei ze. 'Het is het landgoed van Mignaux, vlak voordat het verkocht werd. Zo zag het er dus bijna een eeuw geleden uit. Neemt u het maar mee, als herinnering.'

Die avond schreef Ella lange brieven aan Tobias en Reindert, ze tikte maar door op haar laptop en beschreef uitvoerig haar ontmoeting met Hélène Cazals. De aquarel van Vladimir had ze op het nachtkastje naast haar bed gezet. Het was een jeugdwerkje, nog heel figuratief, maar toch meende ze er al iets van zijn latere werk in te herkennen. Het licht boven de bomen, de grove streken van de velden om het landgoed. Bewijzen voor een familiale lijn waren er niet, maar dat deed er nu niet meer toe. Het ging om de verbinding, om de verwantschap, om wat je nog kon delen, die ene mens met de andere, en dan maakte het niet uit of die persoon wel of geen familie van haar was.

7

Collias bestond uit een wirwar van nauwe straten en pleintjes. Op een affiche bij de oude wasplaats las Ella dat de expositie *Paysages Cathares* om vijf uur door de burgemeester geopend zou worden, gevolgd door een '*pot entre amis*'.

Een beetje nerveus reed ze de Grande Rue in, die naar de Église St Vincent leidde. In weerwil van de naam bleek de straat zo nauw dat de spiegels van haar auto gevaarlijk dicht langs de muren schampten. Even later zag ze de torenspits van de kerk boven de huizen uitsteken. Voorzichtig stuurde ze langs een motor met zijspan heen en reed ongedeerd het pleintje op, waar ze vlak naast de kerk een plekje vond om te parkeren.

Er stonden drie olijfbomen voor de St Vincent, inmiddels een stuk groter dan in haar herinnering. Ernaast lag het vierkante huis met de blauwe luiken, de stenen waterput en de lindeboom. Op de trappen voor de kerk zaten een paar jongens te roken, de houten kerkdeuren stonden wijd open. Het was kwart voor vijf. Van alle kanten kwamen er mensen het pleintje op gelopen, ze maakten grapjes met de jongens op de trappen en liepen vervolgens de kerk in.

Er tikte iemand tegen haar autoruit. Ella schoot van schrik omhoog in haar stoel. Een oudere man maakte gebaren met zijn hand, ze deed het raampje open en hij vroeg of ze iets achteruit kon gaan, zodat hij zijn bus kon uitparkeren. Ze reed een paar meter achteruit en draaide vervolgens zijn parkeerplek op, vanwaar ze nog beter zicht had op de ingang van de kerk.

Er kwamen nog altijd bezoekers voor de tentoonstelling aangelopen; het moest inmiddels stampvol zijn binnen. Ze tuurde gespannen door de voorruit naar het plein en stak een sigaret op. Ze wist niet of dit bezoek een goed idee was. Zou Marc haar wel herkennen? En wat moest ze tegen hem zeggen na dertig jaar? Na nog een poosje het plein bespioneerd te hebben, doofde ze haar sigaret, zette haar zonnebril op en stapte uit. Ze zou alleen even om het hoekje gluren, niemand die haar in deze drukte zou opmerken.

Haar telefoon rinkelde in haar tas. Haar moeder. Niet nu, dacht ze. Ze staarde naar het schermpje en nam op.

'Dag El, met je moeder.' De stem van haar moeder klonk bedeesd.

'Hallo,' zei Ella behoedzaam.

'Wanneer kom je weer eens langs? Ik heb je zo lang niet gezien.'

'Hoezo? Ik mocht toch niet meer...'

'Kom je naar mijn verjaardag?' Haar moeders stem won aan volume.

'Ik... eh ben in Frankrijk,' zei ze aarzelend.

'Dan kom je toch terug? Ik ben wel je moeder.'

Daar viel niets tegen in te brengen. Ella voelde hoe ze aan kracht inboette.

'Ik weet het niet,' zei ze.

Het bleef even stil aan de andere kant van de lijn.

'Je bent mijn dochter,' zei ze. 'Je moet komen.'

'Je hebt me je huis uit gegooid, ma' zei Ella zwakjes.

Op het pleintje schoot een motor vlak voor haar langs. Twee jongens van een jaar of zestien sprongen ervanaf en parkeerden de motor tegen de muur van de kerk. Toen de bestuurder zijn helm afzette en zich naar haar omdraaide staarde Ella hem verbijsterd aan. Want daar stond Marc, op nog geen drie meter afstand van haar, hetzelfde zwart krullende haar, hetzelfde lachje om zijn mond. De jongen stootte met zijn elleboog zijn vriend aan, waarna ze lachend in de richting van de kerk liepen.

'Ik was in de rouw,' zei haar moeder verontwaardigd.

'Ik ook, ma.'

Op dat moment hoorde Ella in de verte haar naam roepen. Het was Jean-Luc, die in een witte broek en wapperende blouse op haar kwam afgesneld.

'Ik moet nu ophangen,' zei Ella. 'Ik bel je later nog. Ik hoop dat je een leuke verjaardag hebt.'

Ze zette de telefoon uit en stopte hem weg in haar tas

'Nee maar, wat een verrassing! Je bent dus toch gekomen,' zei Jean-Luc.

Samen liepen ze tussen de olijfbomen door naar de stenen trap. Toen ze de kerk binnenstapten, verschool ze zich achter de lange gestalte van Jean-Luc. Het was zo druk dat ze achterin bleven staan. Jean-Luc torende boven iedereen uit.

'Marc is er nog niet,' constateerde hij tot Ella's opluchting.

De burgemeester liep naar het altaar, zijn stem klonk door de speakers. Hij vertelde dat hij toch maar wilde beginnen, ook al waren nog niet alle fotografen aanwezig. Hij hoopte dat de toestand in de kerncentrale inmiddels weer onder controle was. De mensen in de kerk begonnen op hun telefoon te kijken.

'Wat is er aan de hand?' vroeg Ella.

Jean-Luc haalde zijn schouders op. Hij had geen idee.

Na afloop van het praatje stonden ze voor de kerk een aperitief te drinken, Ella had nog geen foto gezien. Ze zouden straks als het iets rustiger was gaan kijken.

De zoon van Marc kwam bij hen staan. Hij leek niet alleen op zijn vader, hij sprak ook op dezelfde toon, een beetje laconiek, als om hen gerust te stellen. Hij vertelde dat er een drone boven het terrein van de kerncentrale was gesignaleerd, maar die bleek van iemand uit het dorp ernaast te zijn, niets aan de hand. Zijn vader was al onderweg. Hij ging kijken of hij hem kon vinden.

Ella liep met Jean-Luc de kerk in. Aan de linkerwand hingen de twee grote zwart-witfoto's die Marc had gemaakt. De eerste was een zijopname van een kloostertuin, met ronde bogen en een dubbele pilarenrij, wijnranken die omhoogkropen tegen de stenen muren. Het scherpe licht dat op de binnentuin viel sneed zelfs de kleinste kieren van de eeuwenoude muren open.

'Het klooster van St-Paul-de-Mausole,' zei Jean-Luc, 'waar Van Gogh opgenomen is geweest.'

'Daar wilde ik nog naartoe gaan,' zei Ella verbaasd.

Op de tweede foto stond een kerkje, dat naast een paar in de rotsen uitgehouwen grotten lag. Er kropen varens tegen de kerk aan, het zonlicht viel gefilterd door het dichte bladerdak van de bomen.

'Dat is hier vlak in de buurt,' vertelde Jean-Luc, 'het kerkje van Notre-Dame de Laval, bij de grotten van de Ermitage. Het was oorspronkelijk een tempel van de Kelten, daarna van de katharen en tenslotte de katholieken. Een mooie plek.'

Het kerkje lag tegen een ruïne aan, waar bremstruiken en jeneverbessen doorheen groeiden. Er stonden hoge cipressen naast, roerloos, gevangen in het namiddaglicht.

'Prachtig,' zei Ella met een zucht.

'Salut,' hoorde ze een bekende stem achter haar zeggen. Ze draaide zich om en daar stond Marc. Zijn krullen waren kortgeknipt en grijs, hij was iets dikker geworden, maar de blik in zijn ogen en dat lachje om zijn mond waren nog precies hetzelfde. Ze omhelsden elkaar met drie zoenen. Ze herkende meteen de geur van zijn huid.

'Wat leuk dat je gekomen bent,' zei Marc.

Ella haastte zich om te zeggen dat ze de foto's prachtig vond. Ze vertelde iets over de biografie over Van Gogh die ze pas gelezen had.

'Ja, Van Gogh,' zei Marc.

Ella wachtte of hij nog meer zou zeggen, maar toen dat niet het geval bleek te zijn, keken ze elkaar verlegen glimlachend aan. Geen van beiden wist hoe het verder moest.

'Kom, laten we buiten iets gaan drinken,' zei Jean-Luc opgewekt. Ze pakten een glas crémant van de tafel en liepen naar buiten. Ella was bijna een kop groter dan Marc. Ze liep nu op hakken in plaats van op versleten espadrilles. De afstand leek nauwelijks te overbruggen.

*

De zon hing roodgloeiend boven de heuvels. Ella parkeerde haar auto net buiten het dorp aan de rivier.

Ze hadden zeker een uur op het pleintje voor de kerk staan praten, anekdotes over de band en de dorpsfeesten opgehaald, het was toch nog ontspannen en vertrouwd geweest. Ella had over haar bezoek aan de brug verteld en haar teleurstelling over de rivier geuit. Marc zei dat het water werd afgetapt voor de koeling van de centrale, maar dat de rivier bij Collias nog wel stroomde als vroeger. Ze hadden afscheid genomen toen Marc door zijn vrouw werd gebeld en naar huis moest, omdat zijn jongste dochtertje met griep op bed lag en haar vader wilde zien.

Ella liep door de holle, tegen elkaar aan tikkende stengels van het bamboebosje naar de rivier en voelde zich wonderlijk licht in haar hoofd. Ze had zijn blik en zijn geur

onmiddellijk herkend, en ook zijn stem, maar op geen enkele manier kon ze de liefde nog navoelen die ze ooit voor
hem had opgevat. Ze zag een knappe, wat verlegen man
voor zich, die net als zij erg haar best deed om een gesprek
te voeren, maar hun woorden sloten niet meer vanzelfsprekend op elkaar aan.

Het was een zachte voorjaarsavond. Toen ze bij de rivier
aankwam keek ze verwonderd om zich heen. Marc had gelijk. Dit was de rivier die ze van vroeger kende, weids en
snelstromend.

Op het strandje trok Ella haar schoenen uit en liep over
de kiezels de rivier in. Het water was fris en stroomde
krachtig aan haar voorbij, aan de overkant blonken de rotsen in de ondergaande zon. Ze stroopte haar broekspijpen
hoog op en liep op blote voeten het water verder in, voorzichtig balancerend over de keien.

Na een paar meter bleef ze stilstaan, ze was nu halverwege de rivier, en keek stroomafwaarts in de richting van
de brug. Het water reikte tot ver over haar knieën. Voorbij de volgende bocht zou de rivier naar rechts afbuigen en
dan onder de brug door stromen, zo'n vijf kilometer van
haar vandaan.

Ze dacht aan hun zwempartijen onder de brug en hoe
het water daar kolkte en diepblauw, bijna zwart kleurde in
de schaduw van het immense bouwwerk. Ze zwommen
onder de hoge bogen door en voelden het gewicht van de
geschiedenis boven hun hoofden hangen. Ze maaiden met
hun armen door het water en trainden hun schouders, alsof ze wisten dat ze ooit zelf de last van Atlas zouden moeten dragen. Ze zagen de zon onder de bogen op het water weerkaatsen en zwommen daarnaartoe, naar het licht,
naar de warmte.

De rivier raasde langs haar benen. Als kinderen heers-
ten ze majestueus over het midden, want dat was wie ze

waren, tussenwezens, zwemmers van *fort und da*, van de ene oever naar de andere.

Ella draaide zich om en keek nu stroomopwaarts naar de rivier. Ze boog zich voorover, stak haar handen in het water, spreidde haar vingers en liet het water erdoorheen stromen. Die eeuwige stroom van tijd en herinneringen, van levens en liefdes. Daar stond ze dan dertig jaar later in dezelfde rivier, die hetzelfde en toch volkomen anders was. Met haar gezicht naar de ondergaande zon gewend liet ze het water door haar vingers glijden. De tijd stroomde de ene kant op, zo leek het wel, en haar herinneringen de andere. Maar waar ze nu stond, op die plek in het midden van de rivier, vielen ze voor een ogenblik over elkaar heen en voegde wat stroomde en stilgevallen was zich uiteindelijk toch samen.

Tijd is stromend water, maar haar herinneringen vormden de bodem, met kleine en grotere obstakels, stenen, leem en zand, waarlangs het water zijn weg zocht. Elke druppel water die aan haar voorbijraasde, had over de bodem van dat verleden geschraapt, over de zachte en de scherp uitstekende stenen en had daar iets losgewoeld en opgenomen in zijn stroom, een stukje mos, een korrel zand, en dit alles bepaalde het moment waarin ze zich nu bevond. Ze kon die stenen en obstakels niet wegpoetsen of doen alsof ze niet bestonden. Het water moest eroverheen stromen, en er telkens opnieuw zijn gang langs zien te vinden.

Dit is het moment, dacht ze, waarop het verleden nog nakolkt, maar de toekomst als een vermoeden, net na de bocht gelegen, al voelbaar wordt. Hier gaat het om, om dit tussen twee oevers in staan, tussen twee tijden, twee stemmen, met mijn blote voeten in het water, balancerend op de gladde keien. Die keien, die als grijze vlekken onder het water oplichtten, waren haar bodem. Ze hoefde ze niet te verwijderen, want er bestond geen eeuwige zonneschijn noch een vlekkeloze geest. Het waren juist die vlekken die haar geest in beweging zetten, en haar elke keer opnieuw tot herinneren en vertellen aanspoorden.

Rechts van haar mondde de Alzon uit in de Gardon, links lagen de rotsachtige heuvels, waarachter de zon nu fonkelend wegzakte. Haar ogen laafden zich aan het landschap van haar jeugd, terwijl het water langs haar benen omhoogspatte. Haar reis had in het teken gestaan van rouw en verlies en ze had zich bijna stukgebeten op de stenen die voor haar vaders graf lagen opgestapeld, maar nu waren de zwaarste dan toch een fractie opzijgeschoven, alleen omdat ze ernaar had durven kijken.

Ze had een duik in de tijd durven nemen en daar de stenen van haar verleden opgedoken. Ze had gewoon wat kiezels van de rivierbodem geraapt en deze vervolgens in een paar zinnen over het water gezeild. Alle verdriet kan gedeeld worden indien opgenomen in een verhaal, zei een vrouwelijke stem die uit de rivier opsteeg, en ja, ze had gelijk: taal, beelden, muziek, dat alles is ook familie.

Ella keek naar het steeds donker wordende en koude, snelstromende water rond haar benen en even vreesde ze dat ze alsnog meegesleurd zou worden, een onwereldse diepte tegemoet, maar dat gebeurde niet. Ze hoorde nog een stem, het was de stem van haar vader en hij zei: 'gewoon blijven drijven', en dus duwde het verdriet dat zo plotseling in haar opwelde haar niet kopje-onder, maar sloot het een verbond met de vreugde die ze op dat moment, staand in de rivier van haar jeugd, ook voelde. Water op water, tijd op tijd, en de wind, die haar vader tevoorschijn tovert.

Hij staat tegenover haar in de rivier en zegt 'rustig, niet zo snel' en daarna: 'blijven drijven, gewoon blijven drijven'. Zijn zwarte haren zijn nat van het water. Zijn blote borst is bruingebrand, hij lacht om haar wilde gespartel en maant haar keer op keer tot kalmte. Ze houdt haar blik strak op haar vader gericht, als ze die laatste paar meters naar hem moet overbruggen, ze verliest hem geen moment uit het oog. Ze maait met haar armen door het water en kijkt naar zijn gezicht, houdt zijn blik voortdurend vast in de hare, opdat ze niet opnieuw naar beneden zakt. Dan kijkt haar vader even naar de andere zwemmers en slaat bij haar de twijfel toe, zakt ze onder water, hapt ze naar adem en drinkt een volle teug van de rivier op.

Het zonlicht spat uit haar vaders ogen, als ze proestend weer boven komt drijven. Hij kijkt haar aan, met die strenge én lachende blik, en ze merkt hoe die blik haar omhoogtrekt, tot aan het bovenste randje van het water, waar ze rustig verder glijdt, terwijl de zwaarte van haar af valt. Ze hoeft niet zo heel veel te doen, ze moet vooral iets niet doen, geen angst hebben en niet in paniek raken. En verder alleen wat trage bewegingen met haar armen en benen maken.

Tussen Ella en haar vader ligt een oceaan én een waterdruppel, een berg en een kiezelsteentje. Die afstand moet ze kunnen overbruggen. Vastbesloten, maar ook heel rustig zwemt ze naar hem toe, slag voor slag. Hij strekt zijn handen al naar haar uit, het is nog maar een heel klein stukje. Als ze eindelijk zijn vingertoppen aanraakt, trekt haar vader haar lachend naar zich toe en tilt haar met een zwaai uit het water.

Ze kan zwemmen.